MW00352566

El despertar de los dioses olvidados

RAMTHA

El despertar de los dioses olvidados

Título original: *Forgotten Gods Waking Up*
Copyright © 2002 JZK, Inc.
Derechos exclusivos para la traducción y publicación en español:
SIN LÍMITES, UNA DIVISIÓN DE
L.D. BOOKS, 2005.
8313 NW 68 Street
Miami, Florida, 33166
Tel. (305) 406 22 92 / 93
ldbooks@bellsouth.net

Distribución en México:
Lectorum, S.A. de C.V.
Tel. 55 81 32 02
ventas@lectorum.com.mx

Impreso en México

Para más información sobre las enseñanzas de Ramtha:
Ramtha's School of Enlightenment
P.O. Box 1210, Yelm, WA, 98597 USA
www.ramtha.com

Primera edición: septiembre 2005

ISBN: 0-9772669-3-1

www.sinlimites.net

El despertar de los dioses olvidados

TRADUCIDO POR:

ANTONIO CAMPESINO

MENSAJE IMPORTANTE SOBRE LA TRADUCCIÓN

Este libro está basado en Ramtha Dialogues®, una serie de grabaciones magnetofónicas de discursos y enseñanzas dados por Ramtha. Ramtha ha elegido a una mujer americana, JZ Knight, como su único canal para repartir su mensaje. El único idioma que usa para comunicar su mensaje es el inglés. Su estilo de oratoria es muy particular y nada común, por lo que a veces se puede malinterpretar como un lenguaje arcaico o extraño. Él ha explicado que su elección de las palabras, su alteración de las palabras, su construcción de frases y orden de los verbos y los nombres, sus descansos y pausas en medio de las frases son todos intencionales, para alcanzar múltiples capas de aceptación e interpretación presentes en una audiencia compuesta por gente de gran diversidad de herencia cultural o clase social.

Para conservar la autenticidad del mensaje dado por Ramtha, hemos traducido este libro lo más cercanamente posible a las palabras originales y así permitir al lector que experimente las enseñanzas como si estuviera presente. Si usted encuentra algunas frases que parecen incorrectas o extrañas de acuerdo a las formas lingüísticas de su idioma, le aconsejamos que lea esa parte de nuevo tratando de captar el significado que hay detrás de las palabras, en lugar de simplemente criticar la construcción literaria. También le aconsejamos comparar y usar como referencia la.obra original en inglés publicada por JZK Publishing, una división de JZK, Inc. para mas claridad. Nuestros mejores deseos. Disfrute su lectura.

El despertar de los dioses olvidados

Índice

Introducción

No es necesario que os levantéis. Mi nombre es JZ Knight y soy el verdadero dueño de este cuerpo. Bienvenidos a la Escuela de Iluminación de Ramtha, sentaros. Gracias.

De modo que vamos a comenzar diciendo que Ramtha y yo somos dos personas diferentes, dos seres diferentes. Tenemos un elemento de la realidad en común que por lo general es mi cuerpo. Yo soy bastante diferente a él. Aunque de alguna manera nos podamos parecer, realmente no nos parecemos.

¿Qué os voy a decir? Veamos. Durante toda mi vida, desde que era pequeña, he oído voces en mi cabeza y he visto cosas maravillosas que para mí, en mi vida, eran normales. Y fui lo suficientemente afortunada de tener una familia o una madre que era un ser humano con muchas habilidades psíquicas y que, en cierto modo, nunca condenó lo que yo estaba viendo. Y tuve experiencias maravillosas durante toda mi vida, pero la experiencia más importante fue que yo tenía este amor tan profundo hacia Dios, y había una parte de mí que entendía qué era aquello. Más adelante en mi vida fui a la iglesia e intenté entender a Dios desde el punto de vista de la doctrina religiosa y tuve muchas dificultades con ello porque estaba en conflicto entre lo que sentía y sabía.

Ramtha siempre ha sido una parte de mi vida desde que nací, pero yo no sabía quién era o qué era; sólo sabía que había una fuerza maravillosa que caminaba conmigo, y cuando tenía problemas —en mi vida tuve mucho dolor mientras crecía— siempre tenía experiencias extraordinarias con este ser que me hablaba. Y podía oírle tan claramente como os podría oír a vosotros si tuviéramos una conversación. Él me ayudó a entender muchas cosas en mi vida de un modo que iba más allá del ámbito normal de lo que sería un consejo de alguien.

No fue hasta 1977 cuando él apareció ante mí en mi cocina, un domingo por la tarde, mientras estaba haciendo pirámides con mi marido; estábamos deshidratando comida, pues éramos muy aficionados a hacer excursiones, acampar y todo lo relacionado con ello. Entonces yo me puse una de aquellas cosas tan ridículas en la cabeza, y del otro extremo de mi cocina surgió esta maravillosa aparición que medía siete pies de altura; era brillante y maravilloso, y un poco austero. Tú no esperas sencillamente que a las dos y media de la tarde se te aparezca algo así en la cocina. Nadie puede estar nunca preparado para esto. Y de este modo, Ramtha, en aquella ocasión, realmente hizo su aparición evidente para mí.

Lo primero que le dije —y yo no sé de dónde salió— fue: "Eres tan hermoso. ¿Quién eres tú?"

Su sonrisa es como un sol. Él es extraordinariamente bien parecido. Él me dijo: "Mi nombre es Ramtha el Iluminado y he venido para ayudarte a salir del bache". Siendo una persona tan simple como soy, mi reacción inmediata fue mirar al piso porque pensé que quizá le había pasado algo, o iba a caer una bomba; realmente no sabía.

Y fue a partir de ese día que él se convirtió en algo constante en mi vida. Durante aquel año de 1977 sucedieron muchas cosas interesantes, y eso es decir poco. Mis dos hijos pequeños llegaron a conocer a Ramtha en aquellos días y a experimentar algunos fenómenos increíbles, del mismo modo que mi marido.

Más adelante, en ese mismo año, después de haberme enseñado y haber tenido algunas dificultades diciéndome lo que era y yo entendiéndolo, un día me dijo: "Te voy a enviar un mensajero que te traerá una colección de libros; léelos y entonces sabrás quién soy". Uno de esos libros se titulaban *Vida y enseñanza de los Maestros del lejano Oriente* (*Life and Teaching of the Masters of the Far East*. De Vorss & Co. Publishers, 1964). Lo leí y comencé a entender que Ramtha era uno de esos seres, en muchos aspectos. Y aquello me sacó de alguna manera de la tendencia a categorizar: "eres Dios o eres el diablo," que me había invadido en esa época.

Y cuando finalmente llegué a entenderle, él pasó largos momentos paseando en mi sala; ese ser hermoso que medía siete pies se puso cómodo en mi sofá, sentándose, hablándome y enseñándome. Algo de lo que no me di cuenta en aquel entonces fue que Ramtha ya sabía todas las cosas que le iba a preguntar y cómo contestarlas. Pero yo nunca supe que él sabía eso.

De este modo, desde 1977 él ha tratado conmigo pacientemente como si fuera Dios, al permitirme preguntarle no sobre su autenticidad, sino sobre cosas referentes a mí, enseñándome, llamándome la atención cuando quedaba atrapada en el dogma o en la limitación, llamándome la atención justo a tiempo, enseñándome y ayudándome a superarlo. Y yo siempre decía: "Sabes una cosa, eres tan paciente, creo que es maravilloso que seas tan paciente". Ramtha simplemente se reía y decía que tenía 35 000 años, que qué más puedes hacer en todo ese tiempo. Así que no me di cuenta de que él sabía lo que le iba a preguntar hasta hace aproximadamente unos diez años, por eso era tan paciente. Pero como el distinguido maestro que es, me dio la oportunidad de tratar estas cosas en mi interior y después me concedió la gracia de hablarme de una manera que no era presuntuosa y que, como haría un verdadero maestro, me permitiría llegar a las comprensiones por mí misma.

Canalizar a Ramtha desde finales de 1979 ha sido toda una experiencia, porque cómo te vistes para él... Ramtha mide siete pies y lleva dos túnicas que siempre le he visto lucir. Aunque sean las mismas túnicas, son realmente hermosas y nunca te cansas de verlas. La túnica de abajo es blanca como la nieve y le llega hasta donde creo que están sus pies. Tiene otra que lleva por encima, es de un color púrpura hermosísimo. Debéis entender que yo he visto muy de cerca la tela de estas túnicas y no es realmente tela. Es algo así como luz. Y aunque la luz les dé una transparencia, se entiende que lo que lleva puesto es algo real.

El rostro de Ramtha es de color canela y esa es de la mejor forma en que puedo describirlo. No es realmente ni marrón ni blanco, tampoco es rojo; es como una mezcla de todos ellos. Tiene unos ojos negros muy profundos que cuando te miran sabes que realmente te están viendo. Tiene unas pestañas que son como las alas de un pájaro y que le llegan hasta las cejas. Su mandíbula es cuadrangular, y su boca, simplemente hermosa; cuando te sonríe sabes que estás en el cielo. Tiene unas manos muy grandes, y dedos largos que usa elocuentemente para ayudar a expresar sus pensamientos.

Bueno, podéis imaginaros entonces cómo me sentía después de haberme enseñado a salirme de mi cuerpo, sacándome de él literalmente y arrojándome en el túnel, chocando con la pared de luz, rebotando y dándome cuenta de que mis hijos acababan de llegar de la escuela y que yo apenas había terminado de lavar los platos del desayuno; de que acostumbrarse a desaparecer en el tiempo de este plano era algo realmente difícil, y de que yo no entendía dónde iba ni lo que estaba haciendo. Por esta razón tuvimos muchas sesiones de práctica.

Podéis imaginaros que él llegue y os arranque de vuestro cuerpo y os mande hasta el techo y entonces os pregunte: "¿Qué te parece la vista que tienes ahora?" Y que después os arroje a un túnel —y quizá la mejor manera de describirlo sería que es como un agujero negro en el próximo nivel—: golpear la pared blanca y sufrir amnesia.

Además, tenéis que entender que él me hacía esto a las diez de la mañana, y que cuando regresaba de la pared blanca eran las cuatro y media de la tarde. Era realmente un problema tratar de ajustarse con el tiempo que se había perdido. Tardó un buen tiempo en enseñarme cómo hacer eso y fue divertido juguetear, aunque absolutamente aterrador en algunos momentos.

Pero para lo que él me estaba preparando era para enseñarme algo a lo que yo ya había accedido previamente a esta encarnación, y que mi destino en esta vida no era simplemente casarme y tener hijos y prosperar en la vida, sino superar la adversidad y permitir que sucediera lo que estaba previamente planeado, y ello incluía una extraordinaria conciencia, lo que, por supuesto, él es.

Tratar de vestir mi cuerpo para Ramtha era un problema. No sabía qué hacer. La primera vez que tuve una sesión de canalización llevaba tacones y una blusa, creía que iba a la iglesia. Así es que os podéis imaginar, si disponéis de algo de tiempo para estudiarle, cómo se vería vestido con un traje y con tacones, que, por cierto, no se los ha puesto en su vida.

Supongo que la esencia que os quiero trasmitir consiste en que es realmente difícil hablarle a la gente —y quizá algún día yo llegue a hacer eso con vosotros, y a entender que habéis llegado a conocer a Ramtha, su mente, su amor y su poder— y cómo entender que yo no soy él, y que aunque estoy trabajando en ello con mucha diligencia, nosotros somos dos seres separados. Así que cuando me habláis a mí en este cuerpo, me estáis hablando a mí, y no a él. En algunas ocasiones, durante esta última década, esto ha sido un desafío para mí en los medios de comunicación, porque la gente no entiende cómo es posible que un ser humano pueda estar dotado de una mente divina y al mismo tiempo estar separado de ella.

Por lo tanto, quiero que sepáis que aunque veáis a Ramtha aquí afuera en mi cuerpo, es mi cuerpo, y su aspecto no es en absoluto como éste. Pero su apariencia en el cuerpo no disminuye la magnitud de quién y qué es. Y también deberíais saber que cuando hablamos, cuando empezáis a preguntarme sobre cosas que él ha dicho, es posible que yo no tenga ni idea de lo que me estáis hablando, porque cuando él deje mi cuerpo dentro de pocos minutos, me habré ido a un tiempo totalmente distinto y a otro lugar del que no tengo memoria consciente. Cualquiera que sea la duración del tiempo que él pase hoy con vosotros, para mí será probablemente entre tres y cinco minutos más o menos; cuando regrese a mi cuerpo, todo el tiempo de este día habrá pasado y yo no habré formado parte de él, por lo tanto no escuché lo que os dijo ni sé lo que hizo ahí afuera. Cuando regreso, mi cuerpo está exhausto y a veces me cuesta subir las escaleras para cambiarme y hacerme presentable para lo que el día, o lo que quede de él, me ofrezca.

También deberíais entender, como estudiantes principiantes, una cosa que se tornó obvia con el paso de los años, y es que él me ha enseñado muchas cosas maravillosas que supongo que la gente que no ha alcanzado a verlas ni siquiera podría soñar con ellas en sus sueños más descabellados. Yo he visto el universo veintitrés, he conocido a seres extraordinarios y he visto el ir y venir de la vida. En cuestión de segundos he visto a generaciones nacer, vivir y desaparecer. He estado expuesta a acontecimientos históricos que me ayudaron a entender mejor qué era aquello que debía saber. Se me ha permitido caminar junto a mi cuerpo en otras vidas y ver quién era y cómo era, así como ver la otra cara de la muerte. Estas son oportunidades preciosas y privilegiadas que en algún momento de mi vida gané el derecho de experimentar en esta vida. Hablar de ellas a otras personas me produce, en cierto modo, una desilusión, porque es difícil transmitir a gente que nunca ha estado en estos lugares cómo son realmente. Y, como un narrador de cuentos, lo intento lo mejor que puedo, pero aún me quedo corta.

Pero yo sé que la razón por la que él trabaja con sus estudiantes, del modo en que lo hace, es porque Ramtha tampoco quiere eclipsar nunca a ninguno de vosotros. En otras palabras, el quid de su enfoque consiste en venir aquí y enseñaros a ser extraordinarios; él ya lo es. Y no consiste en que él produzca fenómenos. Si él os dijo que os iba a enviar mensajeros, os van a llegar en cantidad. Tampoco se trata de que él realice trucos enfrente de todos vosotros; eso no es lo que él es. Esas son herramientas de un avatar, de un gurú que necesita ser adorado; y con él ese no es el caso.

Lo que sucederá entonces es que él os enseñará, os cultivará y os permitirá crear los fenómenos, y vosotros seréis capaces de hacerlo. Y un día, cuando seáis capaces de manifestar al daros la señal y seáis capaces de dejar vuestro cuerpo, capaces de amar… —cuando a los ojos del interés humano es imposible hacer todo eso—, un día él se presentará en vuestra vida, porque estáis listos para compartir lo que es. Y lo que él es, será simplemente aquello en lo que os vais a convertir. Y hasta entonces él se mostrará diligente, paciente, con entendimiento, conocedor de todo y de cada cosa que necesitemos saber para poder aprender a ser eso.

Y lo que sí os puedo decir es que si os ha interesado lo que habéis oído en su presentación, y estáis empezando a amarlo aunque no podáis verle, eso es una buena señal, porque quiere decir que lo que era importante en ti es que tu alma te urgía a desenvolverte en esta encarnación. Puede que eso vaya en contra de tu red neuronal; puede que tu personalidad discuta y mantenga un debate contigo, pero vas a aprender que ese tipo de lógica es realmente transparente cuando el alma te impulsa hacia una experiencia.

Y si esto es lo que queréis hacer, vais a tener que ejercitar la paciencia y el enfoque y vais a tener que hacer el trabajo. El trabajo al principio es muy duro, pero si tenéis la tenacidad de seguir con él, entonces puedo deciros que un día este profesor os va a dar la vuelta completamente. Un día seréis capaces de hacer todas esas cosas extraordinarias que los maestros que habéis escuchado en mitos y leyendas tienen la capacidad de hacer. Seréis capaces de hacerlas porque ese es el camino. Y en última instancia, esa habilidad es, singularmente, la realidad de un Dios despertando en forma humana.

Ahora bien, este es mi camino y ha sido mi camino durante toda mi vida. Si no hubiera sido importante y no hubiera sido lo que ha sido, no estaría viviendo en el olvido la mayor parte del año, en beneficio de unas pocas personas que vienen a tener una experiencia de la Nueva Era. Esto es mucho más grande que una experiencia de la Nueva Era. Y también debería deciros que es mucho más importante que la habilidad de meditar o de practicar el yoga. Esto consiste en cambiar la conciencia a lo largo de nuestras vidas en cada punto y en ser capaces de descolgar y dejar de limitar nuestras mentes para que seamos todo lo que podemos ser.

También deberíais de saber que otra cosa que he aprendido es que sólo podemos demostrar lo que somos capaces de demostrar. Y que si dijerais: "Bueno, ¿qué es lo que me está bloqueando y no me permite hacer eso?"... el único bloqueo que tenemos está en nuestra falta de rendición, nuestra habilidad para rendirnos, nuestra habilidad para permitir y nuestra habilidad para apoyarnos a nosotros mismos, incluso ante nuestra duda neurológica o la duda de nuestra red neuronal. Si os podéis apoyar en medio de vuestra duda, abriréis la brecha, porque ese es el único bloqueo que hay en vuestro camino. Y un día vais a hacer todas estas cosas y vais a ver todas las cosas que yo he visto y que se me ha permitido ver.

Así es que sólo quería salir aquí hoy, mostraros que existo y que amo lo que hago. Espero que estéis aprendiendo de este profesor y, lo que es más importante, que sigáis con él.

JZ Knight

I
Vosotros sois los dioses olvidados

Saludos, mis hermosos maestros. Yo saludo desde el Señor Dios de mi ser al Señor Dios de vuestro ser. Bienvenidos. Que así sea.

Yo soy Ramtha el Iluminado, llamado también, y así es en verdad, el Señor del Viento, Maestro ascendido, sirviente del Cristo, aquello que se denomina Dios-hombre realizado, Señor de mi era. En esta hora os hablo y os ofrezco mis saludos a todos vosotros que sois dioses.

Y a todos vosotros que estáis despertando para convertiros en dioses os digo lo siguiente: que todo aquello que escuchéis en los días que seguirán a este homenaje serán lo que se denomina palabras de verdad, que abrirán la puerta a la prisión de vuestro olvido y de este modo os despertarán. En verdad os digo que yo manifiesto estas palabras y estas enseñanzas al momento, pues hemos alcanzado aquello que denominamos el círculo que no tiene entrada. Estamos entrando en un movimiento muy veloz que no tiene palabras para describirse y de todo aquello que os enseñe os enviaré mensajeros al momento para que conozcáis esta verdad, pues éste es el año del gran despertar. Y de este modo os digo que todas mis palabras se manifestarán inmediatamente, y que en esa manifestación serán verdad, de hecho, y que conoceréis que Dios vive dentro de vosotros y que todo aquello que se os ha enseñado es la verdad y lo que se denomina el reino de los cielos. Yo, Ramtha el Iluminado digo esto desde el Señor Dios de mi ser. Que así sea. Brindemos, ¡por doscientos años y vida eterna! Que así sea.

Ahora, permitidme comenzar diciéndoos, mis hermosos e ilustres participantes, que lo primero que quiero que sepáis antes de comenzar es que os amo y que vosotros sois la gente del gran Ram. E incluso más importante que esto es que vosotros sois en verdad aquello que se denomina la enseñanza de los dioses olvidados que estáis despertando, y este tiempo es el que habéis apartado en este año. Habéis dejado atrás a vuestras familias, vuestro medio ambiente, vuestras obligaciones; habéis dejado atrás a vuestra imagen —o por lo menos lo habéis intentado—, y habéis hecho vuestro peregrinaje hasta este lugar santo. Y de este modo deberíais entender que tenéis como crédito un compromiso en vuestra vida con vuestra evolución espiritual. Y si lo que habéis aprendido aquí no dio frutos en vuestra vida, ciertamente no hubiérais regresado, y no hubiérais gastado vuestro dinero, ni tampoco hubiérais apartado vuestro tiempo para lo que se denomina vuestro propio crecimiento espiritual. Y yo os digo que este es el crédito a vuestro favor, no solamente en relación con lo que sois, sino que también es un compromiso con los dioses olvidados a quienes estamos dedicando este grandioso y maravilloso retiro. Que así sea.

Como se os ha enseñado, siempre hay múltiples potenciales que existen en cada momento y que si proyectamos en nuestro futuro cómo queremos crear nuestra vida, cuando tú eres un maestro puedes ver todos los potenciales y puedes elegir aquél sobre el cual quieres caminar, aquel que quieres experimentar. Bien, ha habido muchos días con respecto a este día que ya han sucedido, y el que yo he elegido y que conecta con muchos otros potenciales es lo que va a suceder hoy, y yo sé exactamente cómo conducirlo. La actitud lo es todo. No estamos aquí para ser mejores cuerpos. No estamos aquí para ser flores más hermosas. No estamos aquí para llevar blancas vestiduras que nunca se ensucien. No estamos aquí para ninguna de estas cosas. Y no estamos aquí para que os deis prisa y terminemos pronto. ¿Entendéis? Estos son todos los argumentos de la personalidad.

Yo os hablo en esta hora como aquel a quien llamáis Ramtha el Iluminado. Soy aquel a quien también llamáis el Señor del Viento. Soy aquello que se denomina mi ser ascendido, algo más grande que mi humanidad. Soy en verdad el dios de mis tiempos. Y yo os digo en esta hora: Lo que yo soy es el sirviente del Dios dentro de vuestro ser. Soy amante del Cristo, que es Dios-humano realizado. Con este fin digo en esta hora y ordeno a mi ley que todo lo que se enseñe en este día sea rápidamente aprendido y absorbido por vosotros, y que mis palabras se manifiesten inmediatamente en vuestras vidas y que esa manifestación os lleve a todos la manifestación de la verdad para que podáis ver que lo que se os enseña en este día es para acercaros más a Dios, al desarrollo de la conciencia Crística, que es Dios-hombre y Dios-mujer realizados, Dios en forma humana. Y os digo en este día que todo lo que se enseñe será realizado y aquello que se realice os liberará de vuestra enfermedad, pues así lo ordeno; destruirá vuestra enfermedad, pues así lo ordeno, para que podáis conocer el verdadero gozo y en verdad la verdadera gracia del dios que yo soy y del dios que tú eres y que somos los legisladores del nuevo reino y no los guardianes del viejo. Esto digo yo, Ramtha el Iluminado. Que viváis interrumpidamente durante doscientos años y que podamos llamar el recuerdo de este día en una gran convención de celebración. Esto es para vosotros, brindemos: ¡por doscientos años de vida sin muerte! Que así sea. Por la vida.

Si sois sinceros quiero que digáis:

Yo, el observador,

Acepto este conocimiento
Y abro mi vida
A mi reforma,
A los cambios
Que este conocimiento
Me traerá inmediatamente.
Que así sea.
Por doscientos años.

Sentaos. Sacad pan y queso y compartid los alimentos. Ahora vamos a comenzar.

II
El estudiante serio
de la Gran Obra

Si sois serios estudiantes de la Gran Obra —y, por Dios, mirad por todo lo que habéis pasado para mantener vuestro estatus— entonces aquí estamos, mientras bebemos y compartimos el pan, para que cada momento que paséis aquí activemos y crezcamos en nuestro yo espiritual. Cuando regreséis, vuestra personalidad habrá sufrido un revés crucial. Podéis tener la certeza y la seguridad de que aquellos de vosotros que sostenéis que quien sois es realmente lo que sois —vuestra personalidad, lo que tenéis, con quién estáis, dónde vivís, lo que tenéis, los que no tenéis, vuestro victimismo, la importancia que os habéis atribuido—, todo eso se mantendrá. No os preocupéis, no vais a perder aquello que no queráis perder.

Ahora bien, esta es nuestra reunión anual, ¿no es así? Es para preguntarse: ¿por qué tendría yo que pagar este oro? ¿Por qué tendría que separar este tiempo? ¿Por qué tendría que dejar a mi madre y a mi padre, a mi hermano y a mi hermana, a mi marido, a mi mujer, a mi amante…? ¿Por qué tendría que dejar a mi jefe? ¿Y por qué tendría yo que abandonar mi tierra y mi cultura? ¿Por qué haríais todo eso para venir aquí y quitaros la pintura de guerra de vuestros rostros y dejar a un lado vuestras finas ropas y vuestras delicadas sedas para lucir la vestimenta de esta escuela? ¿Por qué querríais venir aquí y acomodaros detrás de vuestra imagen? La gente que se involucra con la imagen, en muchos aspectos no está aquí. Y si esto no es conmovedor en tu vida, no puedo darte una enseñanza mayor que decirte que aquellos que están compartiendo el camino en esta jornada son los que están aquí. Aquellos que no están involucrados en la jornada son aquellos que están inmersos en sus apariencias, su cuerpo, su aspecto, su estatus en la vida. Y os puedo decir, id al cementerio y encontraréis lo significativo que hay en tal elección.

Entonces, ¿dónde estaba? Estaba a punto de decir a todos aquellos que estáis aquí —mirad a vuestro alrededor— que no juzguéis a nadie. Ellos vinieron aquí e hicieron a un lado todas las cosas que tú pensaste que eran tan importantes en tu vida; ellos han hecho a un lado esas cosas en su vida para estar aquí, para venir y aprender. Yo os juro, mi amada gente, que los días que estamos juntos, si contáis todos esos días en vuestro calendario, son tan cortos en relación con la personalidad inherente por el resto del año. Y cuando estáis aquí y estamos reunidos, yo vengo a veros desde otro lugar, nos estamos encontrando desde otros lugares y nos reunimos en una convención. Y en esta convención vosotros sois los estudiantes, habéis hecho a un lado todas las cosas y quiero que lo hagáis. Cuanto más lo hagáis, mayor será vuestro crecimiento.

Quiero que estéis desnudos cuando estáis aquí. Y les decís a todos aquellos a vuestro alrededor que os quieran seducir, a todos aquellos que os quieran usar y abusar de vosotros, a vuestra propia personalidad que no puede olvidar del todo lo que es dejar atrás todo lo que habéis dejado para estar aquí, les decís a todos ellos: "Mirad, este es el tiempo que dedico a mi Dios, aquel que ha hecho posible mi vida y mi imagen voluble. Es un pequeño tributo a la gloria de aquel que me dio el aliento de la vida, pues ese es mi tiempo transcurrido amando, aprendiendo y permitiendo la presencia de Dios en mi vida, para que yo también pueda ser Cristo algún día". Es un pequeño requisito a la luz del resto de los días que ni siquiera estáis aquí.

De este modo, estáis juntos porque pasasteis por el Boktau y habéis hecho todos estos cambios. Ahora quiero deciros que en este año nos estamos acercando al final de lo que se llamaría mi misión. Y por lo tanto, todos los momentos de vuestra vida fuera de esta escuela donde no fuisteis impecables, todos los momentos en los que vivisteis vuestra imagen y no vuestro Dios, y todos los momentos en los que hicisteis a un lado lo que os he enseñado en beneficio de un rostro, los músculos de un cuerpo, la juventud de un cuerpo…, en los que hicisteis a un lado a la bondad, a Dios y al poder en beneficio de vuestra apariencia en el espejo; y todas las miles y miles de palabras que han salido de este cuerpo, todas las verdades que han sido demostradas flagrantemente ante aquello que llamáis vuestra personalidad, todos los momentos en los que hallasteis cosas valiosas por casualidad, todos los momentos en los que tuvisteis sueños proféticos, todos los momentos en los que se manifestó lo que pensaste como por arte de magia…, todos esos momentos están dando sus frutos. Y recordad esto, que proviene de este árbol, de esta escuela y de la elección del alma en esta vida que dice: "He estado en todas partes. Lo he hecho todo. Lo que nunca he hecho ha sido ver el universo veintitrés, nunca he resucitado a los muertos y nunca he sanado a los enfermos, nunca me he curado a mí mismo y liberarlo de este modo. Y en verdad, podía hablar de todos esos conceptos a nivel intelectual. Ciertamente he sido incluso reconocido como un orador de la palabra de algún

Dios, pero ponme a prueba de fuego y no podré hacer nada".

Esta es la vida que nos dice que siempre hubo una pista de todos estos conceptos. Siempre se escribió sobre ellos. Fueron profetizados. Los irritantes en cada generación son los profetas. Los irritantes en cada generación son en verdad los genios. Los irritantes en cada generación son los sanadores. Los irritantes en cada generación son esas voces que nos llaman desde los desiertos y nos dicen: "No me importa lo hermoso que creas que eres, vas a morir de todos modos. No me importa lo rico que piensas que eres, no te lo podrás llevar al reino de los cielos. Y no me importa lo hermoso que pienses que es tu cuerpo —y no me importa cuanto crees que te estás perdiendo de esta vida, mejor vívelo ahora—, los ciegos siempre se caen en el pozo". Y el pozo representa al infierno en términos de los textos antiguos hebreos, el pozo representa una tumba comunal que nunca se tapaba y a la que siempre se llamó el infierno. No me importa cuántas expectativas tengas, no tienes nada si en esta vida no posees aquello que te atraiga hacia una fuente de conciencia que te implore despertar, y esta es la oportunidad de despertar. Y cuando nos estamos acercando juntos al final de mi misión puedo decirte: "¿Qué es lo que no te he enseñado y quién es el que ha sido un obstáculo para que estas enseñanzas alcanzaran lo milagroso?" Es tu personalidad. Es tu importancia autoproclamada. Crees que eres tan importante, pero toda esa importancia ha negado la visión de una importancia mayor, que es aquello que llamamos el yo espiritual, el verdadero yo.

Cuando seguís celebrando la imagen en todo su apogeo no encontráis al verdadero yo, pues puedo deciros que no hay nada que no hayáis hecho, no hay nada que no hayáis visto y no hay nada que no hayáis vivido. Y el día que os dais cuenta de todo lo que no habéis experimentado —resucitar a los muertos, sanar a los enfermos, resucitar y recrear los huesos de los lisiados, ser capaces de caminar con maestros, ser capaces de alinearos con el universo veintitrés... eso es lo que nunca habéis hecho—, y el día que digáis eso, será el día en el que aquello que es realmente importante en vosotros surgirá. Y esa verdad se llama el observador, que crea el sendero de la nueva vida. La personalidad nunca crea el camino de la nueva vida porque sólo sabe cómo recrear el camino de lo viejo.

Sólo el observador conoce el camino

Se necesita del observador para echar los cimientos de la nueva vida, para que el cuerpo y lo que se denomina la personalidad sean de este modo definidos en los escalones de la exploración y la evaluación de esa experiencia a través de la evolución. Se necesita del observador para conocer el universo veintitrés, y se necesita del observador para sanar a un lisiado, y se necesita del observador para construir lo que se llamaría una vida perfecta, y se necesita del observador para invertir la edad del cuerpo, y se necesita del observador para manifestar el reino de los cielos, pues, ¿qué es aquello, según vosotros, que sabe la personalidad y que no sabe el observador? La personalidad sólo conoce sus pequeños sentimientos sensuales y carentes de importancia, que le aseguran la vida física cada día y que está viviéndola al máximo potencial. Pero yo os digo a todos, ¿cuántos días, cuántos siglos y cuántas vidas necesitáis ser sensuales en los tres primeros sellos?

Y si, entonces, esto es lo que se denomina la personalidad, yo os digo que el observador es aquello que va más allá y es extraordinario. Y esta escuela, que es una reunión, trata de acercaros más al observador antes del final de mi

enseñanza —él es el único que conoce el verdadero camino que os espera—, pues yo soy el hierofante que os ini-
ciará en Dios y soy el único que os enseñará a rendiros ante
él. Pero es aquel a quien llamamos vuestro propio Dios
quien os llevará a estos pabellones lejanos y os capacitará
para hacer lo extraordinario, lo que la personalidad, con
toda vuestra gloria intelectual, nunca podría alcanzar, ni
siquiera en diez millones de vidas.

Brindemos por la gloria del reino de los cielos que está
en todos vosotros. Por la gloria de Dios que está dentro de
todos vosotros. Por aquel a quien llamamos el Cristo, la
épica de Dios-hombre y Dios-mujer realizados. Por todos
vosotros que os acercáis al núcleo de la circunferencia de la
vida. Que así sea.

Ahora bien, ¿qué es lo que os estoy diciendo? Os estoy
diciendo que esta escuela no es una cosa sin valor, que todo
lo que os he enseñado lo ha hecho cada uno en esta audiencia. Habéis sanado la enfermedad. Habéis tenido sueños
proféticos. Habéis encontrado vuestra tarjeta.[1] ¿Cuántos de
vosotros lo habéis hecho? Que así sea. ¿Y cuántos de vosotros tenéis sueños proféticos? Que así sea. ¿Cuántos de vosotros habéis sanado a vuestro cuerpo de la enfermedad?
Que así sea. ¿Cuántos os habéis curado los unos a los otros?
Que así sea. ¿Cuántos de vosotros habéis manifestado los
sueños de vuestra realidad consciente? Que así sea. ¿Cuántos de vosotros habéis desarrollado la técnica de enviar y
recibir mensajes telepáticamente y podéis ahora leer con
exactitud la mente de otro? Que así sea. ¿Cuántos de vosotros conocéis la verdad de que conciencia y energía crean
la naturaleza de la realidad? Que así sea. Seguramente los
mayores maestros que jamás hayan vivido podían contar

---

[1] Disciplina del campo. Ver *trabajo de campo* en el glosario.

este tipo de milagros entre ellos. ¿Y qué dice esto de vosotros? Que acompañáis en conciencia a los mayores maestros que han existido jamás.

Ahora seguramente entendéis que yo nunca vine hasta vosotros, en todo el tiempo que podáis recordar, sin ser pasional sobre la vida, sin traer ni exaltar al Dios que todos vosotros sois. El mayor mensaje durante veinte años en vuestro cómputo del tiempo ha sido que cada uno de vosotros es Dios, y la misión era traeros ese mensaje. Os he estado diciendo la verdad a lo largo de estos veinte años.

III
Un repaso a la biología de la personalidad

Ahora bien, ha habido un grupo que ha estado estudiando antes de que vosotros llegarais aquí. Y ellos se quedaron porque esto era más importante para ellos que sus vacaciones, y era incluso más importante que sus vidas. Y han permanecido aquí para desvelar de qué se trata la enseñanza más extraordinaria, y ésta es entender al observador en lo que se denomina oposición directa a la personalidad y entender que la existencia humana está hecha de dos niveles de conciencia, punto cero y la conciencia de espejo. Fácil de recordar, ¿no? Pues lo he repetido numerosas veces.

En este año, pues, en lo que se denomina mil novecientos y..., ¿de acuerdo con qué calendario, el calendario Juliano o el Gregoriano? Bien, de acuerdo con uno de ellos ya estamos en Armagedon, y según el otro sólo faltan cinco años. Así que supongo que estos calendarios son realmente relativos a la personalidad y a Dios.

Este grupo ha estudiado la biología de la personalidad. Cuando digo biología, se han estudiado las emociones en su relación con la verdadera química del cuerpo, y en verdad han estudiado que la personalidad no es nada más que

CÍRCULO DE RETROALIMENTACIÓN DEL CICLO DE LA
ADICCIÓN-REDENCIÓN O EL DE LA EVOLUCIÓN.

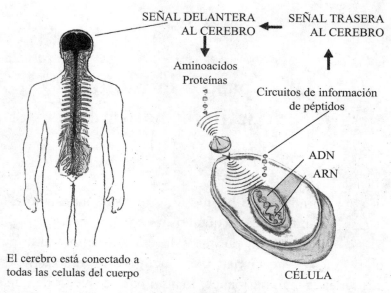

SEÑAL DELANTERA
AL CEREBRO

SEÑAL TRASERA
AL CEREBRO

Aminoacidos
Proteínas

Circuitos de información
de péptidos

ADN
ARN

El cerebro está conectado a
todas las celulas del cuerpo

CÉLULA

Figura 1: La biología celular y la conexión del pensamiento.

una red neuronal conectada al cuerpo en forma de químicos. Y esos químicos se llaman neuropéptidos en el cuerpo,
distribuidos a través de lo que se denomina el sistema límbico del cerebro. Y el sistema límbico del cerebro a través
del cuerpo representa, en los ganglios de los nervios de la
espina dorsal, donde están situados exactamente los siete
sellos en el cuerpo.[2]

Este grupo ha estudiado la biología de la personalidad, la
biología real del estrés, la biología del pensamiento limitado,
la biología de la imagen, la biología de la sexualidad, la biología del victimismo, la biología de la tiranía. Ellos ya han

---

[2] Véase la figura A en el glosario, *Los siete sellos: siete niveles de conciencia en el cuerpo humano.*

estudiado eso, realmente. Ellos ya van por delante de ti. Y con esto han llegado a definir claramente el rojo en el arco iris,[3] analógicamente hablando, como lo que ellos eran. Analógico significa ser simplemente "el *Ser*", y todos vosotros habéis sido la personalidad. Ya hemos aprendido la fisiología, la neurología y, de hecho, la bioquímica de la personalidad que vosotros pensáis que es la verdad.

Y ellos ya han aprendido acerca de las hormonas químicas, neuropéptidos y proteínas que verdaderamente llevan la firma no sólo del estrés, sino también de la consiguiente adicción a través de sus receptores opiáceos de la redención de dicho estrés. Ellos han descubierto que la adicción no sólo está limitada a lo que se denominan narcóticos y alcohol, sino que la verdadera adicción es en verdad a aquello que llamamos estrés y a su posterior redención. Y han aprendido que la totalidad de su vida y de su cuerpo emocional consistían en incorporar y mantener el estrés, para después ser redimidos de ese estrés en forma de neuropéptidos en el cerebro que crean noranedralina —o lo que se llama la "euforia" que experimenta el cuerpo— que es el opiáceo natural del cuerpo. Ellos han descubierto que los adictos no son aquellos que toman drogas y alcohol —aunque estos sí lo sean— sino que los mayores adictos son las víctimas.

Han aprendido a dejar de ser el rojo y a ver su vida controlada como una personalidad e imagen a través de la red neuronal, la conexión neurológica-química-eléctrica del cerebro a aquello que se denomina la biología de cada

---

3 "Si tú fueras el color rojo en el arco iris, ¿cuál sería el color que no verías? Esto quiere decir que tú eres el rojo analógicamente. Cuando te conviertes del mismo modo en el infinito desconocido, no lo puedes describir hasta que te separes de él. Simplemente lo eres. ¿Entiendes?" Ramtha, *Unfolding dimensional aspects of self*, cinta núm. 308. (Yelm: *Ramtha Dialogues*, 1991).

célula individual. Ellos han aprendido eso. Ellos han aprendido acerca del ADN y del ARN y el proceso de crear sus
propios péptidos, que en forma de cadenas de aminoácidos,
permitan una comunicación que haga que las células se du-
pliquen y en verdad reflejen exactamente aquello que es la
personalidad. De este modo, hay prueba de que llevas contigo tus actitudes en forma de un cuerpo físico.

La verdadera naturaleza de las voces que escuchamos en nuestra cabeza

Además, aprendieron que las voces que escuchaban en sus
cabezas y que eran atribuidas a algún ser espiritual, que
esas voces que escuchan hablándoles y que piensan que vienen de algún ser celestial de por ahí, no son más que las
voces de su personalidad que reaccionan químicamente en
el cerebro. Y ellos han aprendido a escuchar a las voces de
lo que llamaríamos los senadores que representan a los
siete cuadrantes del cuerpo, representando a las células que
verdaderamente forman la totalidad del complejo cuerpo-
mente, e identificando así químicamente la emoción. Ellos
han aprendido a ver eso. Y han aprendido que las voces que

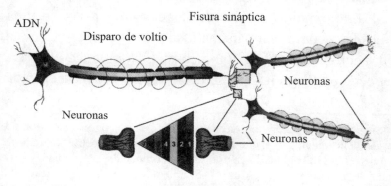

Figura 2: La red neuronal disparando y produciendo pensamiento

les hablan son las voces de sus emociones. Ellos han aprendido a escuchar, y la mayor enseñanza que aprendieron en diez días fue quién está escuchando a las voces. ¿Quién está escuchando? Ahora empezamos a entrar en el concepto de Dios dentro de ti, porque, ¿quién está escuchando a la personalidad química-bioquímica y genética? ¿Quién está escuchando a las voces en ese cerebro? Entonces hemos aislado a Dios. Hemos aislado aquello que se denomina lo divino y que nosotros hemos llamado el observador.

Estas personas han estado trabajando con el observador, que puede pasar por alto al cuerpo completamente para colapsar la energía en forma de onda en la realidad de la

Energía en movimiento   Partícula
                                          atómica

Figura 3: El observador colapsando la energía en realidad de partículas

física cuántica subatómica y convertirla en la manifestación de partículas. Han descubierto que Dios no necesita tener lo que llamáis el cuerpo; que Dios sólo necesita convertirse en el observador y que siendo el observador, el cerebro le presentará el holograma del pensamiento; y que sin llegar a sentirlo emocionalmente, el observador, observando la imagen holográfica ilustrada de un pensamiento, puede manifestarlo inmediatamente sin que éste se sienta siquiera emocionalmente.

Ellos están comenzando a aislar al observador y en verdad a entrar en un reino que consiste en una enseñanza sin palabras. Es lo más santo que existe. Cuando uno da el paso para convertirse analógicamente en el observador, no hay camino ni palabras que nos puedan enseñar nada, salvo que esto es el reino de los cielos. Y estas personas han aprendido a discernir las antiguas enseñanzas.

Las enseñanzas de Yeshua Ben José

Cuando Yeshua Ben José les dijo a sus seguidores: "Yo soy el hijo del Dios viviente". ¿Cuándo hablaba como el hijo de Dios y cuándo hablaba como el hijo del hombre? Y en los textos antiguos Yeshua, Jesús de Nazaret, cuando decía: "Os estoy hablando como el hijo del hombre", ¿por qué hablaba como el hijo del hombre y cuándo, en verdad, hablaba como el hijo de Dios? Porque Yeshua Ben José —que aparentemente era el heredero del reino de Judea, del pueblo hebreo y de todas sus gentes— estaba reconociéndolo en su vida cuando él decía: "Ahora estoy hablando como un humano" y cuando decía: "Estoy hablando como el hijo del hombre". Y sin embargo cuando hablaba desde su divinidad, desde aquello que llamamos el observador, decía: "He aquí, estoy hablando como el Padre que hay en mí, pues el Padre que hay en mi me ha entregado esto para que os lo dijera y en verdad es el Padre en mí quien ha hecho esto posible, no soy yo".

Y cuando dice esto, él está diciendo: "No es mi personalidad quien hizo este milagro, porque le es imposible hacer milagros. Su único dominio es la emoción y los sentimientos y ese es todo su dominio. De este modo, cuando os digo que os hablo como el hijo de la casa de mi Padre, estoy hablándoos como un ser humano con personalidad. Pero cuando os hablo como aquello que se denomina el hijo de Dios, estoy hablándoos como el observador, que dice que cualquier cosa que diga en nombre del observador se cumplirá, no sólo en el cielo sino también el la tierra".

Él dijo a todos aquellos que le siguieron: "Somos hijos de dos padres. Somos los hijos de la humanidad, de la virilidad de nuestro padre y del vientre de nuestra madre; somos los hijos de aquello que nos engendró en forma humana, pero también somos los hijos de Dios. Hablamos desde dos tronos, somos legisladores de dos reinos". Y también les dijo: "¿Qué decís vosotros? ¿Desde dónde dirigís vuestra vida, desde vuestras emociones o desde ese lugar sin emociones llamado el observador?"

Y aquella gente aprendió a diferenciar cómo crear su vida desde su cuerpo emocional de cómo crearla desde su cuerpo de Dios y que con todo aquello que creaban a partir de su cuerpo de Dios no sentían un conflicto emocional, porque estaba libre de la emoción. Y con esas bases ellos ordenaban sus manifestaciones inmediatamente.

Nuestro Padre divino: Punto Cero

Entonces, ¿qué estoy diciendo? Estoy diciendo lo siguiente: la mayor enseñanza que jamás se pudo haber entregado a la gente de esta Tierra, también llamada Terra, es que hay dos padres en cada uno de vosotros. Están vuestros padres biológicos, vuestros padres genéticos, que os dan la vida, y con esto tenéis una tendencia a interactuar con vuestro medio ambiente de acuerdo con vuestras cualidades heredadas en el ADN, vuestros genes. Ese es uno de los padres. Ese es el padre humano, el padre del cuerpo. Pero tenéis un padre superior que es el padre procedente de Punto Cero, de aquello que llamáis Dios, creado a partir del vacío. Y si él dice que vosotros estáis aquí para hacer conocido lo desconocido y que el cuerpo es meramente una vestimenta y el cerebro una computadora, diseñada para crear a partir del vacío colapsando la energía en una realidad de partículas, es vuestro trabajo hacer conocido lo desconocido. Y habéis sido un ser humano durante diez millones y medio de años, y vuestra trampa es vuestro cuerpo emocional y en verdad el cuerpo que os produce sensualidad. Esto, entonces, nos dice que tenéis dos padres, uno procede de Dios y el otro de vuestra genética. La genética os da el cuerpo y la propensión para tener una personalidad. Dios os da el Espíritu Santo y un alma, lo que siempre ha existido.

Así pues, ¿en quién os convertís en el transcurso de una vida? Y todas esas personas que han estado aquí y han estudiado se han asombrado ante las voces que escuchan en su cabeza, que son las voces de la personalidad. Y ellos ya han empezado a entender y a tomar responsabilidad por las decisiones que han hecho y a ver que el hijo o la hija de Dios ha sido un niño dentro de ellos que ha permitido que esto suceda. Y su elección ha sido clara: "Aprende a ser el observador y en el observador no sentirás nada, porque el premio está en no sentir nada, cuando lo que estás siendo es exactamente el observador".

Cuando no tienes emociones estás en un estado de dicha; por lo tanto, eres el heredero de Dios realizado en esta vida, llamado Cristo. Y la maestría en esta jornada es convertirse en esa misma épica. Y cuando entiendes que las emociones sólo se deben experimentar cuando Dios se manifiesta en la experiencia, y el cuerpo entonces participa en esa vivencia para obtener una experiencia sensual, y sólo entonces tenemos emociones que pueden encajar con el paradigma de la mente. Cuando entendemos esto, entonces somos maestros que hamos despertado y la jornada para transformarnos en Cristo está solo a un paso.

El despertar del observador y la nueva vida

Entonces, ¿qué han estado aprendiendo toda esta gente? Ellos han estado aprendiendo la mayor enseñanza que se haya enseñado jamás, y esta enseñanza es: "He aquí Dios". No fue: "He aquí Cristo, el único hijo de Dios". Eso sería una estupidez y cualquier entidad con un intelecto mediocre sería capaz de discernir que ciertamente hay un fallo en el texto religioso, que Dios no solamente tuvo un hijo sino que cada niño es Dios y que no hubo sólo un hijo de Dios sino que todos lo somos, y que Cristo es meramente lo que se llama un paradigma que dice que cuando actuamos y vivimos de acuerdo con nuestro Dios interior —en lugar de nuestra personalidad—, entonces podemos proclamar que somos verdaderamente hijos e hijas de Dios viviente, y que es este Dios quien hace los milagros, y convertirte en ese Dios es el motivo por el que estás en esta escuela. Y la buena noticia es que todos vosotros sois las semillas de Punto Cero.

Ahora escuchad. Las voces que vais a escuchar en vuestra cabeza en este retiro[4] —y de eso es de lo que trata este retiro, de dejar de ser el rojo en el arco iris y de escuchar el murmullo de la conciencia social—, y os vais a preguntar y os voy a recordar: "¿Quién está escuchando?" Ese "quién", aquel con quien te vas a reunir, es el motivo por el que vine, y no a separaos de él. Aquellos de entre vosotros que habéis estado trabajando, habéis trabajado para convertiros en el observador, lo que en el mundo de la ciencia y la mecánica cuántica se llama el observador, pero en la mitología religiosa se llama el Dios interior, el poder del ungido.

---

[4] Las disciplinas en la Gran Obra son ejercicios prácticos que permiten al estudiante experimentar las enseñanzas de primera mano. La disciplina, "escuchar las voces", es simplemente el acto de aquietar al cuerpo para volverlo consciente y observar el continuo torrente de pensamientos que entretenemos.

IV
La cúspide de la
Gran Obra es vivirla

hora, he estado enseñando durante veintiún años, según vuestro cómputo del tiempo, y vosotros sois lo que se llamaría el punto culminante de la épica de esta enseñanza. Hay gente que ya ha entendido el mensaje. ¿Y cuál es el mensaje? Vosotros sois el grupo que más ha evolucionado en esta escuela, pero no permitáis que esto os incline hacia un punto de vista egocéntrico, a pensar que simplemente porque conocéis esto intelectualmente no tenéis que hacer el trabajo para convertiros; porque ser capaces de decir las palabras y ser capaces de recitarlas no es nada comparado con el poder de ser capaces de dignificarlas.

Cuando yo termine con este trabajo, muchos de vosotros escribiréis un gran número de textos sobre la Gran Obra. Pero quienes se convertirán en la cúspide de la Gran Obra, son aquellos de vosotros que no intelectualizaron las palabras como una faceta más de su biología de la personalidad, sino aquellos que las promulgaron y las vivieron.

Este es el año, en vuestro cómputo del tiempo —dependiendo si creéis en el calendario Juliano o en el Gregoriano—, de 1998 y mis días aquí están contados. De modo que cada momento que estamos juntos, escogidos de entre todos los demás días de vuestro calendario, hagamos que sea prístino y valioso. Y el modo en el que hacemos esto es estando en el presente, viviendo en el presente de cada momento y no precipitándonos hacia el futuro o recordando lo que fue o lo que haréis cuando esto se acabe, sino simplemente dejándose ir y convertirse en lo que se denomina la palabra como principio de trabajo. Entonces puedes decir cuando se acabe este curso: "Dios mío, ojalá que nunca se hubiera acabado, pues me permití a mí mismo convertirme literalmente, lo que nunca antes me atreví a hacer, y viví en el presente".

Escuchad, Dios es el legislador del presente, el eterno Ahora. La personalidad es el legislador del tiempo en lo que se denomina el cuadrante de tiempo lineal. Y si vamos a ser los amantes del tiempo lineal, entonces todo lo que tenemos que hacer seguramente es ir al cementerio, leer lo que está grabado en las lápidas de piedra que dice: "Desgraciadamente, esta es la gente que vivió su vida en el tiempo lineal". Y también vas a tener que mirar a las lápidas y preguntarte: "¿Tenían los mismos sueños que yo? ¿Querían ir a los mismos lugares? ¿Querían ser siempre jóvenes? ¿Querían ser esto? ¿Intentaron hacer lo correcto? Sí, pero mira donde están.

Ahora bien, los maestros no están en el cementerio, ellos son eternos. No hay evidencia, salvo de los grande de la historia, de que ellos vivieron pero tampoco hay evidencia de que jamás murieron. Y arqueológicamente, como lo conocemos, encasillar a unas personas y sus hábitos particulares en el tiempo está basado en la fechación de carbono de los huesos y otros fragmentos de su medio ambiente. Si una tumba de hace mil años se puede desenterrar —y esperemos que arqueológicamente hablando estén más evolucionados de lo que estamos hoy en día— y ello puede entonces determinar quién eras, qué hacías y qué comías, entonces podemos mirar y decir: "bien, obviamente sabían algo, pero eran incapaces de aplicarlo en un medio ambiente que les permitiera vivir un periodo de vida más largo.

Lo que yo digo es que no hay evidencia que se haya encontrado de que nosotros jamás hayamos estado aquí —excepto lo que hemos conservado en la tradición oral y en los textos de las piedras y los papiros, en los sitios arqueológicos que se han excavado con el paso del tiempo, en la sala de los registros situada en una mano de la esfinge— y que será hecha pública en los próximos dos años. Y esto registrará las fabulosas civilizaciones de hace 455 000 años y a partir de ellas vamos a aprender quién tenía el don del conocimiento que trasciende la carne.

Y vosotros —vosotros— ya sabéis que conciencia y energía crean la naturaleza de la realidad. Y eso no quiere decir, ni siquiera podemos discutirlo, que el cuerpo y la energía crean la naturaleza de la realidad, porque si lo ponemos en ese contexto vamos a agotar los patrones biológicos que dictan la vida. En otras palabras, hay una hormona de la muerte en el cuerpo que se alimenta a través de la glándula pituitaria. Si adoramos al cuerpo, adoramos a una experiencia de tiempo limitado. Sin embargo, si nuestra conciencia es propensa a aquello que llamamos el cuadrante supernatural de nuestro ser, aquello que la ciencia dice ser el observador, aquello que puede hacer que las plantas reaccionen con el simple hecho de nuestra presencia, aquello que dice que nosotros —de acuerdo con la ciencia— colapsamos nuestra intención en partículas de colaboración por la manera que observamos el mundo de energía a nuestro alrededor…, ese colapso de cooperación de energía que se convierte en partículas no es más que la realidad. El cuerpo no puede hacer eso porque en sí mismo es un súbdito de la ley del observador.

Así que, obviamente, miramos las tumbas del cementerio y vemos gente que fue más hermosa de lo que jamás so-
ñarías, y están enterrados allí; gente que tuvo sueños como
los que tú creías que eran tus sueños, y están enterrados allí,
junto a todos los de su generación. ¿Y acaso piensas que
haya alguno de los que están enterrados allí que no tuvo los
mismos sueños que tú? Lo único que difiere entre tus sueños y los de ellos son los avances tecnológicos que han sur-
gido desde su muerte y durante el tiempo que has vivido.
Pero, por lo demás, los principios son los mismos.

Entonces, ¿dónde está la evidencia de los grandes? La
evidencia es que no están ahí, no están enterrados. Y si la
ciencia consiste en seguirle el rastro a la evidencia históri-
ca del hombre, entonces una de las grandes evidencias será
la estructura esquelética del cuerpo preservada a través del
tiempo. ¿Pero qué sucede con los maestros? ¿Quiere decir
que como no están enterrados, de algún modo no existieron
y sólo podemos decir que pertenecen a la mitología? Yo os
digo que es incorrecto e inconsistente, porque la mecánica
cuántica sugeriría que si entendemos las leyes de la física y
el punto simple del observador, entonces aquellos que lo
entienden nunca hubieran muerto, porque en el mundo del
cuanto todos los potenciales existen simultáneamente.

Y si en verdad es posible que el cerebro humano conci-
ba el concepto de la longevidad de la vida —vida sin muerte, vida en la inmortalidad, vivir eternamente joven—, si
esto puede concebirse en el cerebro humano, esto ciertamente no podrá vivirse fuera del teorema de que el observador en el campo cuántico colapsa la realidad, porque, si
lo hace, entonces la mecánica cuántica carece de un paradigma aún mayor que reconstruya completamente lo que se
denomina la totalidad de sus estructuras matemáticas y de
orientación de la materia. Esto significa, entonces, que la
mecánica cuántica dice que el observador determina la rea-

lidad, y por supuesto que la realidad, de este modo, será relativa a la capacidad del observador de soñarla. ¿Y qué sucedería si la capacidad del observador es trascender los relojes biológicos? No me extraña que a Dios se le considerara algo magnífico entre sus profetas y todos los que hablaron del reino de los cielos, porque ellos entendieron la ciencia. Y si puede soñarse, puede vivirse. Y si es vivido, entonces el observador está colapsando una vida inmortal.

V
Vivir como la personalidad
o como el observador

De este modo, la gran enseñanza de este año es que esta, nuestra unión, es para recapturar lo que los grandes sabían y saben, y esto es que tanto el hombre como la mujer están hechos de dos poderes muy distintos. Uno es la conciencia cuerpo-mente llamada la personalidad, y es producida a través de la genética y el medio ambiente, del mismo modo que crearíamos un programa en la computadora; está basado en el cerebro. El otro es el Espíritu Santo, el viajante en el tiempo que nunca ha muerto, aquel al que nunca habéis conocido, aquel que presencia tras la muerte la revisión de la vida y la ve no sólo con los sentimientos de dolor y vergüenza, sino con una fuerza innovadora para hacer la próxima vida más grande todavía, porque nunca, nunca avanzamos más allá de esta vida hasta que nos hemos adueñado de lo que creamos aquí emocionalmente en forma de sabiduría. Y el día que hemos terminado con esta vida, es el día que podemos ver la vida con un sentido de desapego y sin emoción.

Y entonces, ¿quién se atreve a decir —quién se atreve a discutir y a qué personalidad le va a discutir— qué sería esta vida sin la emoción? Yo te contesto: ¿pero es que has vivido alguna vez la vida como el observador? ¿Y quién eres tú para sugerir desde tu cuerpo emocional que Dios no tiene sentimientos hacia la totalidad de la creación que él es? Quién eres tú para decir que no es nada, cuando yo digo que aquellos de nosotros que lo hemos vivido podemos decir que la culminación de la verdadera dicha y la liberación es mucho más poderoso y más real que aquello que llamáis reacciones químicas en un cuerpo biofísico, como el dolor, el sufrimiento, la culpa, la felicidad, la infelicidad, aquello que llamáis seguridad e inseguridad. Todos ellos son péptidos biológicos que causan que el cuerpo reaccione y nada más. Y cuando vivimos a partir del punto de vista del observador, entonces, de acuerdo con las leyes de la física, elegimos vivir desde un peldaño más elevado del pensamiento, en el que el pensamiento y no las emociones, se convierte en la ley de nuestra vida.

Y vuestro reto en este año es crear un mundo y una vida que no estén basadas en las emociones, que no son más que el pasado del sueño; no seguir recreando el pasado emocionalmente, sino crear nuevos paradigmas y nuevos modelos de vida que no serán creados en la emoción y no tendrán nada que ver con la conciencia cuerpo-mente, sino que estarán totalmente relacionados con la mente extraordinaria que está empezando a conocer que no tiene límites. Y la última gran enseñanza que os enseñaré será acerca del observador, y este es el año del observador. Ahora, ¿podéis daros la vuelta y explicarle a vuestro compañero lo que os acabo de enseñar?[5]

Quiero que recordéis que todo lo que aprendéis no es para que os pongáis tristes, sino para daros la libertad. Y cada pedacito de conocimiento que aprendéis de mí, en

---

Es importante participar y articular la enseñanza incluso si estás solo. El proceso asegura que el conocimiento quede grabado en la memoria a largo plazo.

estos días que estamos juntos, parece que sea la anulación de la personalidad; eso es lo que se pretende. Pero eso no quiere decir que aquello que todos vosotros sois, ajeno a la personalidad, no sea la mayor belleza representada de todo lo que es Dios, porque lo sois. Yo no os estoy enseñando a ser lo divino dentro de vosotros y a la vez diciéndoos que renunciéis a una vida de frivolidad sensual para luego elegir una vida de abstinencia y austeridad. Si Dios es abstinencia y austeridad, es demasiado aburrido. Regresad a vuestra humanidad.

Dios no sólo es el dador de la vida, sino que más bien podríamos decir que es la naturaleza misma. Dios no está contenido en la entidad singular. Su fuerza vital es lo que llamaríamos la belleza de las flores que produce la tierra fecunda. Las legumbres y hortalizas, la lavanda y la rosa que vinieron de una semilla monótona y del color de la tierra, que en el calor de una mañana de primavera pueden producir una flor de tal delicadeza y extraordinaria belleza que cuando se abre para exhalar su fragancia al viento, está siendo sencillamente lo que Dios es. Y Dios es el viento en la medianoche. Dios es la luna creciendo y menguando. Es esa aparición fantasmal de nubes que cubre la luna en la medianoche. Es las estrellas, las hijas de la luna. Es el telón de fondo del siempre jamás. Es todos los olores. Es la luz. Es la temperatura. Es la belleza de toda la vida. Deciros que estas cosas son monótonas y aburridas es decírselo a una persona que está de acuerdo en que, no, ella nunca ha conocido la naturaleza ni ha entendido los misterios, las majestades y las bellezas.

Lo que voy a enseñaros y lo que aprenderéis es que la personalidad que discute por sus limitaciones, discute por el lugar del ego alterado. Discute por lo que se denomina su individualidad sustantiva y al mismo tiempo anhela ser aceptado. Discute por todo lo que es limitado y, sin embargo, el observador, que le da la vida, —el orden natural del cuerpo, su rostro, su intelecto, todas esas cosas a las que se les permite una existencia limitada— también tiene el poder de la existencia ilimitada.

Y si nadie te enseña nunca a soñar el sueño ilimitado; si nadie te enseña nunca a respirar el aliento que sale de los ollares de Dios en primavera; y si nadie te enseña nunca a mirar el cielo en la medianoche y contemplar el concepto del siempre jamás; si nadie te enseña esto nunca, entonces estarás separado de Dios para siempre, de su reino natural, de su ilustre belleza, de su magia y de su encanto intoxicante. Nunca lo conocerás. Es necesario que aprendas que esto es la verdadera naturaleza de tu ser y que cuando aprendas esto sabrás que el Señor Dios de tu ser no está tratando de apartarte de la vida sino de despertarte en medio de ella. Y no es alguien que discute por sus limitaciones, sino alguien que derrumba los muros que limitan tu expresión.

Entonces, lo que vais a aprender sobre el observador no es ese modo de vida monástico, oscuro y lúgubre. Nunca, nunca os convertiréis en Cristo cuando os abstenéis de la vida. No me importa quién diga eso, nadie asciende a base de abstinencia. La abstinencia no es una evolución natural de la vida misma, sino de la personalidad que dicta las leyes de la vida; porque cuando finalmente conocemos a Dios, no somos diferentes al viento en nuestros cabellos y nuestra risa no es diferente a las voces que se escuchan en un arroyo plateado borboteando bajo un sauce. Somos lo mismo.

Mi mensaje no os está diciendo: "renunciad a vuestra personalidad". Sí, ese es el mensaje, pero mi mensaje también es deciros: "Renunciad a lo que concebís como los clímax de vuestra vida, y cuando lo hagáis, ya nunca más estaréis intoxicados, ni estaréis adictos a los químicos que producen el sentirse bien". Sentirse bien es un lugar químico-biológico. Si llegamos a ser Dios, él no tiene que buscar ningún otro lugar para simplemente sentir lo maravilloso de nuestro ser. Es sólo nuestra imagen quien hace esto. ¿Y qué preferirías ser, alguien limitado por el espacio, el tiempo y la temperatura o alguien ilimitado que puede ser el todo y carecer de cualquier necesidad?

Y la enseñanza es deciros a todos vosotros: "Confiad en que cuando aprendáis en los próximos días la diferencia entre vuestra imagen y vuestro observador, habréis encontrado a Dios, porque aquel que escucha las voces en nuestra cabeza es quien queremos ser". Nosotros nunca desearíamos ser las voces. Siempre desearíamos ser el que escucha, pues esa es la Fuerza-Dios misma. Y aquí la enseñanza es: ¿quién queremos ser? Estamos en una Escuela de Sabiduría Antigua. Si no quieres escuchar esto, nunca deberías de haber formado parte de esta escuela.

Se toma por sentado que habéis venido aquí y habéis aprendido a desarrollar unas bases y en verdad unas normas de conocimiento, a las cuales no habíais tenido acceso, y con la esperanza y el sueño —y por supuesto la posibilidad de elegir— de que podríais tomar este conocimiento y aplicarlo en vuestra vida para vivirla más plenamente, más rica, más ilimitada y más llena de gozo. De este modo, ¿es la personalidad entonces la represión de todo gozo y sensualidad? ¿Es, de hecho, nuestro ego alterado aquello que se denomina la gloria del intelecto? ¿Es eso lo que celebraríamos en los salones del conocimiento intelectual? No, no lo es, pues todo eso palidece ante alguien que es ilimitado y en tal estado no crea filosofía intelectual, sino realidad intelectual.

Si cada filósofo que haya existido jamás hubiera podido experimentar sus propios teoremas, sus propios mitos y leyendas, su propia filosofía…, nunca habrían sido recordados como filósofos, porque ellos habrían sido capaces de experimentar de verdad lo que claramente anhelaban intelectualmente. Vosotros vais a aprender la diferencia.

Que sea entendido a partir de esta noche que Dios no es aburrido, pero la personalidad sí lo es. Y que esta noche se sepa que el observador no es limitado, pero la personalidad que discute sí. Si tenemos que discutir por nuestro lugar ya hemos perdido, pues por lo que ya somos no habría necesidad de discutir. Si nuestra libertad es la certeza de nuestro ser, no debemos de luchar por ello. Nunca más debes matar a otra persona para ser libre. Ese sería el camino de la víctima. La libertad se proclama a sí misma. Si tenemos la libertad del pensamiento, entonces tenemos la libertad de la vida. Si tenemos que luchar contra alguien por nuestra libertad, entonces simplemente estamos diciendo que estamos luchando una guerra basada en la libertad del tiempo en relación con nuestro cuerpo, nuestra personalidad. Pero nadie os puede arrebatar en vuestra existencia carnal la libertad de soñar. Y si tú no te adueñas de eso como la cima y la culminación de quién eres, entonces es que ya estás esclavizado. La guerra siempre ha sido para los cuerpos, pero no para los sueños. Recordad esto. Que así sea.

La verdad no es nada de lo que yo diga. La verdad no consiste en lo que nadie tenga que decir. Eso son rumores. Eso es filosofía. Son paradigmas teóricos. La verdad es cuando tomamos el conocimiento y nosotros mismos tenemos la experiencia. Sólo entonces podemos decir que la verdad existe, porque es un estado de ser relativo. Y vosotros vais a aprender la verdad entre el observador y la personalidad, y una vez que aprendáis eso, entonces también tendréis vuestros mensajeros y vuestras diversas disciplinas para continuar perfeccionando esto. Que así sea.

Ahora, ¿os he dicho hoy que os amo? Quiero que sepáis que os amo enormemente, siempre lo he hecho y siempre lo haré. Y vosotros sois gente extraordinaria, sois extraordinarios al establecer la moralidad de los seres justos, y sois maravillosos al atreveros a vivir fuera de las fronteras del pensamiento común. Yo os amo, mi hermosa gente. No echéis a perder ni un momento de este retiro. No lo desperdiciéis en el área de fumadores. No lo desperdiciéis en vuestros automóviles. Participad en cada momento, pues mientras vosotros y yo nos estamos viendo esta noche, estos momentos están llegando a su fin. Y estáis disfrutando cada momento porque muy pronto, os lo prometo, este tiempo que le hemos dedicado a nuestro propio crecimiento interior va a llegar a su fin y vosotros os veréis arrojados nuevamente al mundo del cinismo y la duda, los retos, y por supuesto, la supervivencia. Así que celebremos que estamos juntos y aprovechemos cada momento; hagamos a un lado las dudas y permitámonos ser lo suficientemente libres como para probar que podemos templar nuestra propia carencia con el Dios interior. Que así sea.

VI
El iniciado en medio de la batalla campal

hora bien, yo soy un viejo guerrero y puedo deciros que después de un tiempo en nuestra marcha no todo el mundo estaba ansioso de marchar al frente y desenvainar su espada, porque después de algunas batallas la apatía se convierte en limitación crónica. ¿Y sabéis lo que es la apatía? Son esos viejos soldados que se sientan ahí y dicen que lo han hecho todo. Ellos saben cómo va a ser la batalla. Lo saben, pueden predecirlo y, sin embargo, cuando les convences para salir ahí afuera, cabalgar y marchar, son los que no se sienten tan bien —vi esto durante sesenta y cinco años— y no están ansiosos de ponerse en primera línea porque dicen: "Esto ya lo he hecho. Ya he contribuido a mi propia libertad con mi granito de arena. ¿Por qué debería salir ahí afuera y luchar? Ya realicé algunas conquistas y sobreviví".

Y con base en esto, nosotros sabemos que incluso para los viejos guerreros que realmente lucharon lo que se denomina una batalla cuerpo a cuerpo —y estuvieron realmente en medio de una batalla campal—, el haberlo hecho una vez y haberse retirado diciendo: "Yo ya sé lo que es, luché una vez y puedo predecirlo", es algo realmente estúpido. Y la naturaleza dirá que sois estúpidos porque nosotros estamos siempre evolucionando y cambiando, y así deben ser las disciplinas de la escuela.

Entonces esto me trae de vuelta con vosotros, y es que vosotros vinisteis y aprendísteis toda la ciencia maravillosa. Quiero que sepáis que sois más grandes que aquellos viejos guerreros que podían sentarse y decir: "Yo lo sé todo".

Y, desde luego, podemos predecir que el punto de vista del escéptico va a decir: "Bien, simplemente el estar aquí unos pocos días no significa nada. Quiero decir..., que podría haberlo hecho. Podría haberlo hecho, pero ya sabía de qué se trataba". Esas son las personas que cuando la marcha se inicia sus pestañas se cubren de polvo azafrán. De modo que ya nos hemos ido y atravesado la primera colina, y ellos aún están ahí sentados diciendo: "Oh, ya sé lo que se van a encontrar ahí delante."

Y algunos discutirán que no se trata de una batalla campal. Pero, sabéis, de alguna manera sí lo es, y quizá más que nunca porque realmente yo os estoy pidiendo que luchéis y que conquistéis vuestro cuerpo, vuestro cuerpo emocional, vuestra vida. ¿Y cuál es la diferencia entre esto y encontrar un adversario en medio de la batalla?

Cuando la gran Bel Shanai me dio la espada en la montaña a los catorce años —me dio una espada para que apaleara al Dios Desconocido—, aquel misterio era el mismo mensaje. Dijo: "Ve y conquístate a ti mismo". Qué iba yo a hacer, ¿darle la vuelta a la espada y cortarme mi propia cabeza? A los catorce años tienes una visión distorsionada de la realidad. No me importa cómo penséis los adolescentes que estáis en esta audiencia, está distorsionada. Bien, bien, podríamos decir que nosotros somos más viejos y más sabios.

Así es que yo quería luchar contra Dios. Dios me envío a una mujer que me dio una espada y me dijo: "Ve y conquístate a ti mismo". Bien, la espada era muy tangible.

Aquella espada mía, en su hermosura, era una espada sagrada, pero estaba claro que el metal estaba tan afilado que le podía cortar las cuatro patas a un caballo de batalla. De modo que estamos hablando de conquistarme a mí mismo con una espada que obviamente estaba hecha para otra cosa. Ahora empezamos a comprender que esa otra cosa era que en nuestra realidad existen los reflejos de nuestro propio yo, porque de otro modo, si ellos no fueran parte de nosotros, no estarían en nuestra realidad ahora, ¿verdad?

Entonces, ¿quién iba a sobrevivir en el ámbito del creador y su realidad, sabiendo todo el tiempo que toda la gente que había en mi vida también eran creadores de la realidad e iban a alzarse como creador contra creador? ¿Y quién sería el vencedor? Aquel que no fuera su cuerpo. Y Dios iba a estar del lado de esa fuerza e iba a cortarle la cabeza al mismo cuerpo que la habitaba. Así que podríais decir: "Bien, esto no es nada parecido, pero en el fondo lo es, porque es más fácil ir a luchar y matar a alguien que matarse a uno mismo". ¿Correcto? Podríamos arrasar a una persona destacada y egocéntrica, y reducirla a cenizas, y ello nos daría placer. Nosotros podíamos hacer eso en mis tiempos, y se lo podíamos hacer a cualquiera porque aún estamos confundidos con el concepto de que no somos aquello que está fuera de nosotros, aunque en realidad sí lo somos.

¿Qué hacemos ahora desde el campo de batalla hasta el camino del maestro? Es lo mismo, con la excepción de que este último es un poco más limpio. Y esto no quiere decir que sea menos peligroso ni que conlleve menos tensiones, en verdad. Un golpe analógico de tu espada y se acabaron las preocupaciones con esa persona, y de ahí puedes irte a la siguiente. ¿Comprendes?

Pero con lo que llamamos el ego alterado, el cuerpo emocional, no está tan claro, ¿verdad? Aunque, de hecho, el cuerpo emocional tiene en su vecindad —en su órbita— gente que encaja exactamente con lo que él es, de lo contrario éste no seguiría funcionando en el cuerpo. Hay una conexión magnética. Por eso es por lo que decimos que lo que somos es creadores de la realidad, y las personas, lugares, cosas, momentos y sucesos representan nuestro cuerpo emocional.

¿Cómo tomamos entonces una espada, derrotamos al enemigo y conquistamos a nuestro yo en este nuevo mensaje? Bien, es lo que siempre os he dicho. Primero tenéis que detectarlo en vosotros mismos. Ese es el enemigo. Debéis decir: "Esa emoción es mi enemigo", no importa si es la hipocresía, robar, mentir, engañar, la inseguridad, la diplomacia, la culpa, la necesidad de ser querido…, todos los cuales encajan en el formato de la inseguridad. Y hay un gran grupo de personas que situamos en nuestra vida para que sean su soporte. Primero tenemos que deshacernos de ellos, porque cuando lo hacemos, nos hemos dirigido a la parte emocional de nuestro cuerpo.

Y escuchad, no somos nuestro cuerpo. Él es simplemente un ropaje. Y este cuerpo, como ropaje, fue creado específicamente para hacer el trabajo de un Dios que lo habita a través de la realidad, y nosotros vamos recogiendo y situando a nuestro alrededor los parásitos de nuestro propio medio ambiente. Primero tenemos que deshacernos del parásito. ¿Qué va a pasar después de esto? Que vamos a tener una herida en nuestro cuerpo, se va a hinchar, se va a abrir y va a salir pus, es la limpieza de la infección de la herida misma. Y es fácil volver a colgarnos al parásito que se encargará de la infección y chupará el veneno. Pero, ¿por qué no arrancarnos al parásito y dejar que toda la infección se abra y supure? Porque después vendrá la sanación. De hecho, el supurar de la infección es la sanación misma.

¿Cuál sería entonces la diferencia de apartar de nuestra vida, antes que nada, el ir por ahí como un ser humano? Enfrentemos el problema, y veréis que vosotros sois el problema y de repente, ¡pum!, ya estáis aquí. Entonces el cuerpo dice: "Pobre de mí. ¿Cómo pudiste haberme hecho eso? Me siento tan mal". Bueno, ahora tenemos vergüenza y culpabilidad. "¿Cómo te atreviste?" Sólo estaba siendo impetuoso. Mira las consecuencias. El cuerpo es una tormenta emocional y tienes que sentarte y encargarte de esto; seamos claros, estáis lloriqueando como alguien que se ha quedado viudo, o viuda.

¿Quién es el viudo o la viuda de nuestra conquista? Nuestro cuerpo emocional. Y después tenemos que sentarnos ahí y ser el conquistador y decir: "Sufre, sufre". Eso es lo que tenéis que hacer. Podéis sufrir, pero eso no va a ser el consuelo. Puedo deciros que la mayor cura que nos sacará de los aspectos mundanos de nuestra vida es el aburrimiento. Y también os digo, este cuerpo emocional es muy listo. Si no tiene ningún estímulo se va a aburrir, y se va a curar, se va a curar la herida en el brazo, lo sé.

Ahora, lo que es difícil sobre la marcha del maestro es que tenemos que separar el pasado de nosotros, y se trata de personas, lugares, cosas, momentos y sucesos. Y la próxima marcha —¡la próxima marcha!— será más dura que nunca, porque es la conquista emocional con la que tenemos que tratar. Solamente cuando Dios haya puesto a su ejército bajo control seremos capaces de ir a Shambala. Sólo entonces.

Este trabajo es más duro que cualquier marcha que jamás se haya realizado, porque es muy cercano y muy personal. El enemigo era impersonal, y todo lo que teníamos que combatir en aquel entonces era nuestro sentido del valor y de la confianza. Pero cuando se trata de la personalidad, del mismo cuerpo del que eres portador —cuando son los propios péptidos biológicos, las propias hormonas y fluidos cerebrales, la alquimia del cuerpo—, cuando eso está tan cerca de casa nos cegamos, porque no sabemos cómo diferenciar al yo del cuerpo. Cuando estamos mirando a esa pared, no estamos seguros del territorio ni del enemigo, porque el enemigo podría ser en cualquier momento la misma personalidad a quien estamos juzgando.

Y es astuta, ¿sabéis? Porque lo que nunca hará será permitiros que la destruyáis. Antes negociará. Por eso es por lo que la imagen es un diplomático, y uno muy astuto, sabe cómo resolver el conflicto sin renunciar a nada. Y si estamos hablando sobre un diplomático, estamos hablando sobre un diplomático que no viene de Dios, sino del propio cuerpo emocional. Siempre resolverá cualquier conflicto a su favor, siempre lo hará.

Así que no estás seguro de: "¿Cómo estoy tratando este asunto? ¿Lo estoy haciendo desde mi cuerpo emocional o desde mi Dios?" Entonces ese es el problema. Y ese es el motivo por el cual esta batalla es tan feroz y las bajas son tan numerosas, y por eso aquellos que salgan victoriosos de ella serán considerados una leyenda y reverenciados como leyendas por aquellos que participaron en la batalla. Pueden decir: "Dios mío. Nunca pude convertirme en un maestro porque nunca pude renunciar a mi cuerpo emocional. No pude renunciar a mi cuerpo. No pude renunciar a mi imagen. No pude renunciar a mi pasado. No pude renunciar a mi cuelgue egocéntrico en mi sufrimiento, que me ha abierto el camino hasta mi presente. Yo no podía renunciar a eso, porque si no, Dios mío, ¿quién sería? Hubiera sido como arrojar mi escudo, mi espada y mi hacha de guerra, bajarme de mi caballo y decirle que se fuera, y entonces simplemente enfrentarme a mi enemigo completamente desnudo. ¿Cómo diablos podría hacer eso? No puedo hacerlo. Ni siquiera puedo funcionar en la vida de este modo, porque eso significaría decir que de repente he sufrido amnesia". Exactamente, exactamente.

Por eso es por lo que hay niveles en esta escuela. Y en todas las Antiguas Escuelas de Sabiduría siempre habrá existido gente extraordinaria que lo supere, porque incluso entre los menos de entre vosotros que griten: "Bien, lo hice", el haber triunfado en una batalla os dará el valor de crear una vida mejor para vosotros. ¿Mejor para vosotros? Pero para quién, ¿para la justificación de vuestro cuerpo emocional, de vuestra imagen, de vuestro mismo cuerpo? Os dará una vida mucho más cómoda, lo hará.

Y puede que pasen mil vidas más antes de que regresen y digan: "Bueno, he sido la mujer más hermosa del mundo varias veces. He sido el hombre más apuesto del mundo varias veces. He sido el hombre más rico. La mujer más rica. He tenido libertad. He sido la persona más libre". Muy bien, pero ahora, ¿no quieres dar el próximo paso? Y veis —vosotros que estáis en esta escuela—, puede que tome otras mil vidas antes de que regresen y entiendan esto, porque no han terminado con ello. Es algo demasiado bueno y se siente tan bien…

Por supuesto, como os dirían los ancianos que hay en esta audiencia —si queréis ir y preguntarles, son los más viejos—, nunca miréis a una anciana y penséis que no era hermosa, porque lo fue. Y no miréis a un anciano en esta audiencia, cuyos cabellos y barbas son del color de la nieve en la gran montaña, que se han encorvado con la edad y cuyo rostro se ha arrugado con la gravedad y el desgaste de su vida, y penséis que nunca fue un hombre joven y viril que creía que podía conquistar el mundo.

Y si los veis aquí en esta audiencia, ellos han llegado al final de su vida y están diciendo: "Todo aquello por lo que fui hermoso y apuesto, y todo aquello por lo que fui rico y viril…, en fin, tuve tantas mujeres". O las mujeres pueden decir: "Tuve hombres a mi disposición porque fui joven y hermosa". ¿Y eso les conforta en su edad madura? Cada uno de ellos dirá: "Yo ya estaba preparado en mi vida para algo más". Lo que eso significa es que están más allá de la juventud y están mirando atrás y diciendo: "¿Para qué sirvió todo esto?" Y ninguno de ellos te dirá nunca: "Ojalá que aún fuera el miso que fui entonces". Lo que te van a decir es: "Ojalá hubiera sabido todo lo que sé hoy cuando tenía veinte años".

¿Qué representan ellos en la psique? Sabiduría. Ellos son los sabios que dicen: "Si yo hubiera sabido esto a los veinte años, nunca hubiera envejecido, nunca le hubiera temido a la muerte, nunca hubiera perdido mi belleza y además hubiera incorporado en mi vitalidad la sabiduría que poseo ahora. Y si lo sé ahora ya no debería envejecer un día más, ni volver a enfermarme; debería adueñarme de todo y ser como el rubor de la primavera". Ese es el ideal.

¿Estáis escuchando? Deberíais, porque si no lo hacéis, vais a ser uno de ellos uno de estos días. Sí, lo seréis. El cementerio os lo puede corroborar. No hay ni una persona en el cementerio que no pensara como vosotros pensáis en vuestra arrogancia. Ni uno.

De modo que estar en medio de esta batalla es duro, porque tenéis que luchar contra la juventud, las hormonas, los péptidos, la conciencia cuerpo-mente, y vuestro tiempo se está agotando cada día. Si observáis de cerca vuestro cuerpo, cada día descubrís una nueva arruga. Vuestro tiempo se está agotando. Es la señal de los tiempos. Así que la batalla en esta escuela es sugerir que aunque tengamos un grupo avanzado aquí, eso no significa que cada persona en este grupo está aquí por las intenciones más nobles del grupo en sí. Ellos están aquí para añadirle un poco de espiritualismo a la causa y el efecto de su conciencia cuerpo-mente. Conozco esto, y si fueras más viejo y más sabio tú también lo conocerías.

Entonces, ¿qué es lo que queréis ser? ¿Queréis ser eso? El cuerpo va a presentar un gran debate. Las personas, lugares, cosas, momentos y sucesos siempre discutirán por lo que ellos perciben como el yo. Y al final de esto aparecerá en vuestra vida un nuevo ser que no será ninguna de estas cosas. Y entonces desvelaremos el mayor misterio que jamás existió, el observador, y comenzaremos a diferenciar el observador del cuerpo y a definir en éste un nuevo estado de sentir y un nuevo poder.

Entrando a un lugar donde no hay palabras

Este es el año que profeticé hace veinte años. Este es el año en el que la Gran Obra llega a unas proporciones magnéticas, lo que significa que hemos edificado conocimiento y disciplina, conocimiento-disciplina-experiencia. Este es el año en el que si puedes definir lo que nunca se pensó en palabras, pero sólo pudo ser enseñado en relación con este círculo, vas a empezar a moverte hacia el círculo sin palabras, pero con una gran cantidad de conocimiento e intención, y si puedes entrar al círculo y encontrar el misterio del verdadero yo, es el verdadero yo que nosotros, los maestros de antaño, incorporamos en nuestra vida para manifestar el nuevo reino de nuestra vida.

Cuando puedas vivir como el observador, podrás manifestar oro en la palma de tu mano inmediatamente; podrás manifestar los sueños más fantásticos sin tener que pasar por la censura del cuerpo emocional y entonces la experiencia de esos sueños será la frivolidad y el gozo; ahora entenderás por qué Dios tiene un cuerpo. Y después lo vas a experimentar al nivel de la sensualidad. Y si haces esto habrás encontrado lo más sagrado de entre lo sagrado, la llave sagrada para la maestría y el Cristo.

Y yo os prometo, no perdáis este impulso, porque llegará un día en el que la batalla terminará, y podréis caminar en ese campo y cuando menos lo esperéis iréis directamente hasta vuestras tarjetas, cada una de ellas. Y reiréis con tal gozo que si os llevo al tanque iréis directamente hasta el vacío, porque habréis encontrado ese lugar donde no hay palabras. Y las vendas se habrán caído, y la herida que estaba supurando ahora tendrá una corteza y estará sanando, y ahora estáis limpios, sabéis que estáis limpios porque trabajasteis para ello; habéis dominado a las personas, los lugares, las cosas, los momentos y los sucesos y os habéis embarcado en la mayor aventura que jamás os hubiérais imaginado, y por eso mismo vuestra vida no puede concluir a los sesenta años, ni a los setenta, ni a los ochenta, ya que tal aventura en su comienzo va a requerir por lo menos de doscientos años. Que así sea.

¡Acepto la espada y acepto esta aventura! Que así sea.

Ramtha

Glosario de Ramtha

ALMA • Ramtha se refiere al alma como «el Libro de la Vida», en el que el viaje completo de la involución y evolución del individuo se graba en forma de sabiduría.

ANALÓGICO • Ser analógico significa vivir en el Ahora. Es el momento creativo y existe fuera del tiempo, el pasado y las emociones.

BANDAS, LAS • Son los dos conjuntos de siete frecuencias cada uno que rodean al cuerpo humano y lo mantienen unido. Cada una de esas siete capas de frecuencia en cada banda corresponde a los siete sellos de los siete niveles de conciencia en el cuerpo humano. Las bandas son el campo áurico que posibilita los procesos de la mente binaria y la mente analógica.

C&E=R • Conciencia y Energía crean la naturaleza de la realidad.

C&E$^{®}$ • Es la abreviatura de Conciencia & Energía$^{®}$. Esta es la marca registrada de la disciplina fundamental que se enseña en la Escuela de Iluminación de Ramtha (RSE) y que se utiliza para la manifestación y para elevar la conciencia. Por medio de esta disciplina el estudiante aprende a crear un estado mental analógico, abrir los sellos superiores y crear la realidad desde el Vacío. El curso de C&E$^{®}$ para principiantes es un curso introductorio en el cual los estudiantes principiantes aprenden las disciplinas y conceptos fundamentales de las enseñanzas de Ramtha. Estas enseñanzas del curso introductorio pueden encontrarse en el libro *Guía del iniciado para crear la realidad* (Editorial Sin Límites, 2000), y en el video *Creando la realidad personal* (Yelm: JZK Publishing, a division of JZK, Inc, 1997).

CAMPO • *Véase* Trabajo de Campo^{SM}

CAMINATA DEL CRISTO • Disciplina diseñada por Ramtha en la que el estudiante aprende a caminar con lentitud y plenamente consciente; aprende a manifestar la mente de un Cristo a cada paso que da.

CEREBRO AMARILLO • Con este término Ramtha se refiere a la neocorteza, la morada del pensamiento emocional y analítico.

CONCIENCIA • Es el hijo que nació del Vacío cuando éste se contempló a sí mismo. Es la estructura y esencia de todo ser. Todo lo que existe ha sido originado en la conciencia y manifestado exteriormente por su servidora, la energía. El flujo de conciencia alude al estado continuo de la mente de Dios.

CONCIENCIA COLECTIVA • Concepto similar al "inconsciente colectivo" de Karl Jung. Una conciencia colectiva es un estado mental reconocible que un grupo de gente, país o cultura, poseen en común.

CONCIENCIA CUERPO-MENTE • Es la conciencia perteneciente al plano físico y al cuerpo humano.

CONCIENCIA PRIMARIA • Es el observador, el gran Yo, el Dios interior de la persona humana.

CONCIENCIA REFLEJO (O SECUNDARIA)• Cuando Punto Cero inició el acto de contemplación del Vacío, creó un reflejo en el espejo de sí mismo, un punto de referencia que hizo posible la exploración del Vacío. Se la llama conciencia secundaria o conciencia reflejo. Véase el **YO.**

CONCIENCIA SOCIAL • Es la conciencia del segundo plano y de la banda de frecuencia del infrarrojo. También se conoce como la imagen de la personalidad humana, la mente de los tres primeros sellos. Se refiere a la conciencia colectiva de la sociedad humana. Es la colección de pensamientos, suposiciones, juicios, prejuicios, leyes, moralidad, valores, actitudes, ideales y emociones de la fraternidad de la raza humana.

CONCIENCIA Y ENERGÍA • Conciencia y Energía están combinadas de manera inextricable y son la fuerza dinámica de creación. Todo lo que existe se origina en la conciencia y se manifiesta en la materia a través de la modulación del impacto de su energía.

CRISTO • Este no es el nombre ni el título de ningún individuo en particular, es el nombre que reciben todos aquellos que han dominado el plano físico y conquistado la muerte. El Cristo en la persona humana es el Dios interior, el aspecto divino de la persona.

CRUZADO ("CROSSOVER") • Con este término se designa a las almas que, en su siguiente encarnación, quisieron comprender al sexo opuesto conservando la perspectiva de su género. Un cruzado puede entenderse como un hombre viviendo en el cuerpo de una mujer y viceversa. Sucede a menudo que las personas confundidas acerca de su orientación sexual son cruzados, pero no siempre éste es el caso.

CUARTO PLANO • El cuarto plano de existencia es el reino de la conciencia puente y la frecuencia ultravioleta. Se lo define como el plano de Shiva, el destructor de lo viejo y creador de lo nuevo. En este plano, la energía todavía no se ha divido en carga positiva y carga negativa. Todo cambio o curación permanente del cuerpo físico debe realizarse primero en el nivel del cuarto plano y el Cuerpo Azul. A este plano se le conoce también como el Plano Azul o plano de Shiva.

CUARTO SELLO • Está asociado con la glándula del timo y con el amor incondicional. Cuando se activa este sello, se libera una hormona que mantiene al cuerpo en un perfecto estado de salud y detiene el proceso de envejecimiento.

CUERPO AZUL • Cuerpo correspondiente al cuarto plano de existencia, la conciencia de puente y la banda de frecuencia ultravioleta. El Cuerpo Azul es el "señor" que está por encima del cuerpo de luz y del plano físico.

CUERPO AZUL®, CURACIÓN POR EL • En esta disciplina que enseña Ramtha, el estudiante eleva su conciencia despierta al nivel de conciencia del cuarto plano y del Cuerpo Azul con el fin de curar o modificar el cuerpo físico.

CUERPO AZUL®, DANZA DEL • En esta disciplina que enseña Ramtha, el estudiante eleva su conciencia despierta hasta el nivel de conciencia del cuarto plano. Esta disciplina permite el acceso al Cuerpo Azul y la apertura del cuarto sello.

CUERPO DE LUZ • Es lo mismo que el cuerpo radiante; es el cuerpo que corresponde al tercer plano, a la conciencia despierta y a la banda de frecuencia de la luz visible.

CUERPO DORADO • Cuerpo correspondiente al quinto plano, la superconciencia y la frecuencia de rayos X.

CUERPO EMOCIONAL • Es la colección de emociones pasadas, actitudes y patrones electroquímicos que definen la personalidad humana de un individuo. Ramtha lo define como la seducción de quien no está iluminado. Es la causa de la reencarnación cíclica.

DIOS • Las enseñanzas de Ramtha son una exposición de la frase que afirma "Tú eres Dios". La humanidad puede definirse como los "dioses olvidados". Dios es diferente del Vacío: Dios es el punto de conciencia que surgió del Vacío cuando éste se contempló a sí mismo.

DIOS DESCONOCIDO • El Dios Desconocido era el Dios único de los lemures, los ancestros de Ramtha. Representa también la divinidad olvidada y el origen divino de la persona humana.

DIOS INTERIOR • Es el observador, el Yo verdadero, la conciencia primaria, el Espíritu, el Dios dentro de la persona humana.

DIOSES • Seres tecnológicamente avanzados provenientes de otros sistemas estelares que llegaron a la Tierra hace 455 000 años. Estos dioses manipularon a la raza humana genéticamente, modificando y mezclando nuestro ADN con el suyo. Son responsables de la evolución de la neocorteza y utilizaron a la raza humana como mano de obra esclava. Evidencia de estos sucesos ha quedado grabada en las tablas y artefactos sumerios. Este término se utiliza también para describir la verdadera identidad de la humanidad, los "dioses olvidados".

DIOS-HOMBRE • La plena realización de un ser humano.

DIOS-MUJER • La plena realización de un ser humano.

DISCIPLINAS DE LA GRAN OBRA • Todas las disciplinas de la Gran Obra que se practican en la Escuela de Iluminación de Ramtha han sido diseñadas en su totalidad por Ramtha. Estas prácticas son iniciaciones poderosas en las que el estudiante tiene la oportunidad de aplicar y experimentar por sí mismo las enseñanzas de Ramtha.

EMOCIONES • Una emoción es el efecto físico y bioquímico de una experiencia. Las emociones pertenecen al pasado, porque son la expresión de experiencias ya conocidas y fijadas en los mapas de las conexiones neuronales del cerebro.

ENERGÍA • La energía es el complemento de la conciencia. Toda conciencia lleva consigo un impacto dinámico de energía, una radiación o una expresión natural de sí misma. Del mismo modo, todas las formas de energía contienen una conciencia que las define.

ENVIAR Y RECIBIR • Disciplina que enseña Ramtha, en la cual el estudiante aprende a obtener información usando las facultades del cerebro medio y excluyendo la percepción sensorial. Esta disciplina desarrolla en el estudiante la capacidad psíquica de telepatía y adivinación.

EVOLUCIÓN • Es el viaje de regreso a casa, desde los niveles más bajos de frecuencia y la materia hasta los niveles más elevados de conciencia y Punto Cero.

EXTRAORDINARIO ("OUTRAGEOUS") • Ramtha utiliza esta palabra para referirse a algo o alguien que está más allá de lo común, que es ilimitado y que posee gran audacia y bravura.

FUERZA VITAL • Es el Padre, el espíritu, el aliento de vida dentro de la persona; la plataforma desde la cual la persona crea sus ilusiones, sueños e imaginación.

GRAN OBRA (O EL GRAN TRABAJO) • Es la aplicación práctica de las enseñanzas de las Escuelas de Sabiduría Antigua. Alude a las disciplinas mediante las cuales la persona humana se ilumina y se transmuta en un ser divino e inmortal.

HACER CONOCIDO LO DESCONOCIDO • Esta frase expresa el mandato prístino y divino que recibió la conciencia original: manifestar y hacer conscientes todos los potenciales infinitos del Vacío. Representa la intención primordial en la que se inspira el proceso dinámico de la evolución.

HIEROFANTE • Maestro profesor capaz de manifestar aquello que enseña e iniciar a sus estudiantes en ese conocimiento.

HIPERCONCIENCIA • Es la conciencia correspondiente al sexto plano y a la frecuencia de rayos gamma.

ILUMINACIÓN • Es la plena realización de la persona humana, la conquista de la inmortalidad y la mente ilimitada. Es el resultado de elevar la energía Kundalini desde la base de la columna vertebral hasta el séptimo sello, despertando las partes del cerebro que están en estado latente. Cuando la energía penetra en el cerebelo inferior y el cerebro medio, y la mente subconsciente se abre, la persona experimenta un destello de luz cegadora llamado iluminación.

INFINITO DESCONOCIDO • Banda de frecuencia del séptimo plano de existencia y de la ultraconciencia.

INVOLUCIÓN • Es el viaje desde Punto Cero y el séptimo plano hasta los niveles de materia y frecuencia más bajos y densos.

JZ KNIGHT • Única persona que Ramtha ha designado

como su canal. Ramtha se refiere a JZ como "su amada hija". Ella fue Ramaya, una de los hijos de la Casa del Ram durante la vida de Ramtha.

Kundalini • La energía Kundalini es la fuerza vital que, durante la pubertad de la persona, desciende desde los sellos superiores hasta la base de la columna vertebral. Es un gran paquete de energía que está reservado para la evolución humana y usualmente se lo representa como una serpiente enroscada en la base de la columna. Es diferente de la energía que emana de los tres primeros sellos y que es responsable de la sexualidad, del dolor y el sufrimiento, y del poder y el victimismo. Al Kundalini se lo llama, generalmente, la serpiente o el dragón durmiente, y el trayecto que realiza desde la base de la columna hasta la coronilla se llama el camino de la iluminación. Esto ocurre cuando la serpiente despierta y empieza a dividirse y a danzar alrededor de la columna vertebral, ionizando el fluido espinal y cambiando su estructura molecular. Como resultado de esto, se abren el cerebro medio y la puerta a la mente subconsciente.

Libro de la Vida • Ramtha se refiere al alma como "el libro de la vida" en el que se registra, en forma de sabiduría, el viaje completo de la involución y evolución de cada individuo.

Lista, la • Disciplina que enseña Ramtha, en la cual el estudiante escribe una lista de lo que quiere saber y experimentar y aprende a enfocarse en ella en un estado analógico de conciencia. La lista es el mapa que una persona usa para diseñar, cambiar y reprogramar su red neuronal. Es una herramienta que ayuda a la persona a producir cambios significativos y duraderos en sí misma y en su realidad.

LUZ, LA • Tercer plano de existencia.

MENSAJERO ("RUNNER") • En la vida de Ramtha, un mensajero era el responsable de entregar información o mensajes concretos. Un maestro profesor posee la capacidad de enviar "mensajeros" a otras personas para manifestar sus palabras o intenciones en forma de una experiencia o suceso.

MENTE • La mente es el producto de la acción de los flujos de conciencia y energía en el cerebro que crea formas de pensamiento, segmentos holográficos o patrones neurosinápticos llamados memoria. Los flujos de conciencia y energía son lo que mantienen vivo al cerebro; son su fuente de poder. La capacidad de pensar de una persona es lo que la provee de una mente.

MENTE ANALÓGICA • Significa "una sola mente". Es el resultado de la alineación de la conciencia primaria y la conciencia secundaria, del observador y la personalidad. En este estado mental se abren los sellos cuarto, quinto, sexto y séptimo; las bandas giran en dirección opuesta —como una rueda dentro de otra— creando un vórtice poderoso que permite que los pensamientos alojados en el lóbulo frontal se coagulen y manifiesten.

MENTE BINARIA • Significa "dos mentes". Es la mente que se produce cuando se accede al conocimiento de la personalidad humana y el cuerpo físico, sin llegar al conocimiento de nuestra mente subconsciente profunda. La mente binaria se basa únicamente en el conocimiento, la percepción y los procesos de pensamiento de la neocorteza y los tres primeros sellos. En este estado mental, los sellos cuarto, quinto, sexto y séptimo permanecen cerrados.

MENTE DE DIOS • La mente de Dios se compone de la

mente y la sabiduría de todas las formas de vida que han existido y existirán en cualquier dimensión, tiempo, planeta o estrella.

MENTE DE MONO • La mente oscilante de la personalidad.

MENTE SUBCONSCIENTE • La mente subconsciente está ubicada en el cerebelo inferior o cerebro reptiliano. Esta parte del cerebro tiene, de manera independiente, sus propias conexiones con el lóbulo frontal y con la totalidad del cuerpo. Tiene el poder de penetrar en la mente de Dios, en la sabiduría de las eras.

OBSERVADOR • Se refiere al responsable de colapsar la partícula/onda de la mecánica cuántica. Representa el Yo verdadero, el Espíritu, la conciencia primaria, el Dios que vive dentro del ser humano.

PEGAMENTO CÓSMICO • Término que Ramtha utiliza para describir la fuerza que mantiene unido al universo. Para Ramtha, el amor es el pegamento cósmico.

PENSAMIENTO • El pensamiento es diferente de la conciencia. El cerebro procesa un flujo de conciencia modificándolo en segmentos —imágenes holográficas— de impresiones neurológicas eléctricas y químicas llamadas pensamientos. Los pensamientos son los componentes básicos de la mente.

PERSONALIDAD, LA • Es la conciencia secundaria, la conciencia de reflejo, el viajero que ha olvidado su origen y su herencia divinos.

PERSONAS, LUGARES, COSAS, TIEMPOS Y SUCESOS • Son las principales áreas de la experiencia humana a las que la personalidad está ligada emocionalmente. Representan el pasado de la persona y constituyen la satisfacción del cuerpo emocional.

PLANO DE LA DEMOSTRACIÓN • Al plano físico se lo llama también plano de la demostración, ya que en él la persona tiene la oportunidad de demostrar su potencial creativo en la materia y presenciar la conciencia como forma material con el fin de expandir su entendimiento emocional.

PLANO SUBLIME • Es el plano de descanso donde las almas proyectan su próxima reencarnación luego de haber hecho el repaso de la vida. También se lo conoce como el Cielo o Paraíso, donde no hay sufrimiento, pena, necesidad ni carencia, y donde todo lo que se desea se manifiesta inmediatamente.

PRIMER SELLO • El primer sello está asociado con los órganos de reproducción y la sexualidad.

PRINCIPIO MADRE/PADRE • Es el origen de toda la vida, Dios el Padre, la Madre eterna, Punto Cero.

PROCESO DE VISUALIZACIÓN TWILIGHT® • Se utiliza cuando se practica la disciplina de la Lista u otras formas de visualización.

PUNTO CERO • Punto primigenio de conciencia creado por el Vacío mediante el acto de contemplarse a sí mismo. Punto Cero es el hijo original del Vacío.

QUINTO PLANO • Plano de existencia de la superconciencia y de la frecuencia de rayos X. También se lo conoce como el Plano Dorado o paraíso.

QUINTO SELLO • Es el centro en nuestro cuerpo espiritual que nos conecta con el quinto plano. Está asociado con la glándula tiroides y con hablar y vivir la verdad sin dualidad.

RA • Dios egipcio del sol. Ramtha utiliza este nombre para referirse al sol.

Ram • Abreviación del nombre Ramtha. Ramtha significa "el Padre".

Ramaya • Ramtha se refiere a JZ Knight como su amada hija. Ella fue Ramaya, la primera que se convirtió en hija adoptiva de Ramtha durante su vida. Ramtha encontró a Ramaya abandonada en las estepas de Rusia. Mucha gente entregó sus hijos a Ramtha durante la marcha como gesto de amor y el más alto respeto; estos niños crecerían en la casa del Ram. Sus hijos llegaron a ser 133 en número, aunque él nunca tuvo hijos naturales.

Ramtha (Etimología) • El nombre Ramtha el Iluminado, Señor del viento, significa el Padre. También se refiere al Ram que descendió de la montaña en lo que se conoce como El Terrible Día del Ram. "En toda la antigüedad se refiere a eso. Y en el antiguo Egipto había una avenida dedicada al Ram, el gran conquistador. Y eran lo suficientemente sabios como para saber que cualquiera que pudiera caminar por la avenida del Ram podría conquistar el viento". La palabra Aram, nombre del nieto de Noé, está formada por el nombre arameo Araa —tierra, continente— y la palabra Ramtha, que quiere decir elevado. Este nombre semítico nos evoca el descenso de Ramtha desde la montaña, que inició la gran marcha.

Repaso de la vida • Cuando una persona llega al tercer plano después de morir, realiza una revisión de la encarnación que acaba de dejar. La persona tiene la oportunidad de ser el observador, el ejecutor y el receptor de sus propias acciones. Todo lo que ha quedado sin resolver en esa vida y que sale a la luz en este repaso, establece el plan que ha de seguirse en la próxima encarnación.

Revisión en la luz • *Véase* Repaso de la vida.

Segundo plano • Plano de existencia de la conciencia

social y de la banda de frecuencia del infrarrojo. Está asociado con el dolor y el sufrimiento. Este plano es el polo negativo del tercer plano de la frecuencia de la luz visible.

SEGUNDO SELLO • Centro de energía correspondiente a la conciencia social y a la banda de frecuencia del infrarrojo. Está asociado con el dolor y el sufrimiento y se localiza en la zona inferior del abdomen.

SÉPTIMO PLANO • Plano de la ultraconciencia y de la banda de frecuencia del infinito desconocido. Es aquí donde comenzó el viaje de la involución. El séptimo plano fue creado por Punto Cero al imitar el acto de contemplación del Vacío y, de este modo, se creó la conciencia secundaria o de reflejo. Entre dos puntos de conciencia existe un plano de existencia o dimensión de espacio y tiempo. Todos los otros planos se crearon a partir de reducir la velocidad del tiempo y frecuencia del séptimo plano.

SÉPTIMO SELLO • Este sello está asociado con la coronilla, la glándula pituitaria y el alcance de la iluminación.

SEXTO PLANO • Es el reino de la hiperconciencia y la banda de frecuencia de rayos gamma. En este plano se experimenta la conciencia de ser uno con la totalidad de la vida.

SEXTO SELLO • Sello asociado con la glándula pineal y la banda de frecuencia de rayos gamma. Cuando se activa este sello se abren las formaciones reticulares que filtran y mantienen velado el saber de la mente subconsciente. La apertura del cerebro alude a la apertura de este sello y a la activación de su conciencia y energía.

SHIVA • El Señor Dios Shiva representa al Señor del Reino y el Cuerpo Azul. No se usa en referencia a la deidad particular del hinduismo. Es más bien la representación del estado de conciencia correspondiente al cuarto plano, a la banda de frecuencia ultravioleta y a la apertura del cuarto sello. Shiva no es hombre ni mujer, es un ser andrógino, ya que la energía del cuarto plano aún no se ha dividido en polos positivo y negativo. Esta es una diferencia importante con la tradición hindú, la cual representa a Shiva como una deidad masculina y con una esposa. La piel de tigre a sus pies, el tridente, y el sol y la luna al mismo nivel que su cabeza, simbolizan el dominio de este cuerpo sobre los tres primeros sellos de conciencia. El Kundalini está representado como una llamarada de energía que sube desde la base de la columna vertebral hasta la cabeza. Otra simbología en la imagen de Shiva son los largos mechones de cabello oscuro y los abundantes collares de perlas, que representan la riqueza de la experiencia convertida en sabiduría. El carcaj, el arco y las flechas son los instrumentos con los cuales Shiva dispara su voluntad poderosa, destruye la imperfección y crea lo nuevo.

SIETE HERMANAS • Otro nombre de la constelación de las Pléyades.

SIETE SELLOS • Son poderosos centros de energía en el cuerpo humano que corresponden a siete niveles de conciencia. Conforme a estos sellos, las bandas mantienen al cuerpo unido. De los tres primeros sellos o centros de todo ser humano salen pulsaciones de energía en forma de espiral. Esta energía que sale de los tres primeros sellos se manifiesta como sexualidad, dolor o poder, respectivamente. Cuando los sellos superiores se abren, se activa un nivel más elevado de conciencia.

SUEÑO CREPUSCULAR (TWILIGHT) • Esta palabra se usa para describir una disciplina enseñada por Ramtha en la cual los estudiantes aprenden a poner al cuerpo en un estado catatónico similar a un sueño profundo, pero reteniendo su conciencia consciente.

SUPERCONCIENCIA • Es la conciencia del quinto plano y de la banda de frecuencia de los rayos X.

TAHUMO • Disciplina enseñada por Ramtha en la cual el estudiante aprende la habilidad de dominar los efectos del entorno natural —frío y calor— en el cuerpo humano.

TANQUE® • Es el nombre que se le da al laberinto que se usa como parte de las disciplinas de la Escuela de Iluminación de Ramtha. Con los ojos vendados, los estudiantes tienen que encontrar la entrada del laberinto y recorrerlo enfocándose en el Vacío, sin tocar las paredes y sin usar los ojos ni los sentidos. El objetivo de esta disciplina es encontrar, con los ojos vendados, el centro del laberinto o el cuarto específico que representa al Vacío.

TELARAÑAS AZULES • Representan la estructura básica del cuerpo humano en un nivel sutil. Es la estructura ósea invisible del reino físico que vibra en el nivel de la frecuencia ultravioleta.

TERCER PLANO • Plano de la conciencia despierta y de la banda de frecuencia de la luz visible. Se lo conoce también como el plano de la luz y el plano mental. Cuando la energía del plano azul baja a esta banda de frecuencia, se divide en polos negativo y positivo; en ese momento el alma se divide en dos, originando el fenómeno de las almas gemelas.

TERCER SELLO • Centro de energía de la conciencia despierta y de la banda de frecuencia de la luz visible. Está asociado con el control, la tiranía, el victimismo y el poder. Está localizado en la región del plexo solar.

Trabajo de Campo^{SM}**•** Una de las disciplinas fundamentales de la Escuela de Iluminación de Ramtha. Los estudiantes aprenden a crear el símbolo de algo que desean saber y experimentar y lo dibujan en una tarjeta de papel. Estas tarjetas se colocan sobre las vallas que cercan un extenso campo, de modo que la cara en blanco del papel sea la que quede a la vista. Los estudiantes, con los ojos vendados, se enfocan en su símbolo y dejan que el cuerpo camine libremente hasta su tarjeta, aplicando la ley de conciencia y energía.

Tres primeros sellos • Son los sellos de la sexualidad, el dolor, la supervivencia y el poder. Son los que normalmente están en funcionamiento en todas las complejidades del drama humano.

Ultraconciencia • Es la conciencia del séptimo plano y de la banda de frecuencia del infinito desconocido. Es la conciencia del maestro ascendido.

Vacío, el • El vacío se define como una vasta nada materialmente, pero todas las cosas potencialmente.

Yeshua ben José • Ramtha se refiere a Jesucristo con el nombre de Yeshua ben José, siguiendo la tradición judía de la época.

Yo, el • Verdadera identidad de la persona humana, su aspecto trascendental. Es el observador, la conciencia primaria.

Los siete sellos

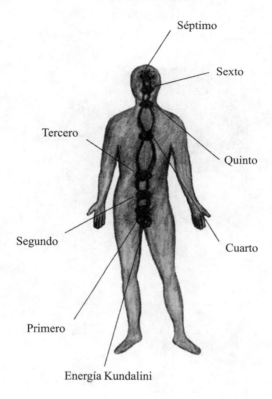

Séptimo

Sexto

Tercero

Quinto

Segundo

Cuarto

Primero

Energía Kundalini

Siete niveles de conciencia y energía

Punto Cero

Ultraconciencia 7 Desconocimiento infinito

Hiperconciencia 6 Rayos gamma

Superconciencia 5 Rayos X

Conciencia puente 4 Azul ultravioleta

Conocimiento consciente 3 Luz visible

Conciencia social 2 Infrarrojo

Subconciencia 1 Hertz

El cerebro

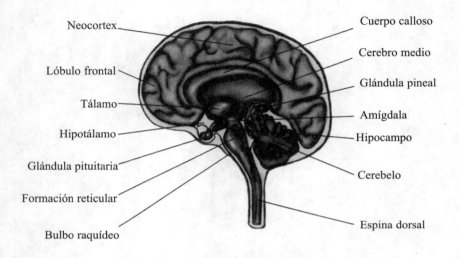

Neocortex

Lóbulo frontal

Tálamo

Hipotálamo

Glándula pituitaria

Formación reticular

Bulbo raquídeo

Cuerpo calloso

Cerebro medio

Glándula pineal

Amígdala

Hipocampo

Cerebelo

Espina dorsal

Colección Sin Límites

RAMTHA («El Libro Blanco»)

«Yo soy Ramtha, una entidad soberana que vivió hace mucho tiempo en este plano llamado Tierra o Terra. En aquella vida yo no morí, sino que ascendí, porque aprendí a controlar el poder de mi mente y a llevarme mi cuerpo a una dimensión invisible de vida. Al hacer esto, me di cuenta de la existencia de una libertad, una felicidad y una vida ilimitadas.

«Ahora soy parte de una hermandad invisible que ama grandemente a la Humanidad. Nosotros somos vuestros hermanos que oímos vuestras plegarias y vuestras meditaciones, y observamos vuestros movimientos.

«Todos vosotros sois muy importantes y preciosos, porque la vida que fluye por vosotros y el pensamiento que os llega —cualquiera que este sea— es la inteligencia y fuerza vital que llamáis Dios. Es esta esencia la que nos conecta a todos, no sólo a los que habitan vuestro plano, sino también a aquellos en universos innombrados que aún no tenéis ojos para ver.

«Estoy aquí para recordaros una herencia que la mayoría de vosotros olvidó hace mucho, mucho tiempo. He venido a daros una perspectiva más noble desde la cual podáis razonar y entender que vosotros sois realmente entidades divinas e inmortales que siempre han sido amadas y apoyadas por la esencia llamada Dios.

«A lo largo de vuestra historia, hemos intentado de muchas maneras recordaros vuestra grandeza, vuestro poder y la eternidad de vuestras vidas. Nosotros fuimos reyes, conquistadores, esclavos, héroes, cristo crucificado, maestros, guías, filósofos... cualquier cosa que permitiera la existencia del conocimiento.

«Esta enseñanza no es un precepto religioso, es simplemente conocimiento. Es amor. Yo os amaré hasta que conozcáis a Dios y os convirtáis en el amor y el gozo del Dios que vive dentro de vosotros.»

RAMTHA: OVNIS, Conciencia, Energía y Realidad

OVNIS, Conciencia, Energía y Realidad es una descripción a veces alarmante, a veces consoladora de lo que llamaríamos «intervención extraterrestre» en nuestra historia, nuestro presente y nuestro futuro. Basado en material canalizado, nos permite apreciar lo que hay «allá», descrito por alguien que está «allá». Aunque plantea muchas nuevas preguntas, aclara muchas de las profundas inquietudes que han obsesionado la mente desde tiempos inmemoriales.

De una manera muy sencilla y muy directa, *OVNIS, Conciencia, Energía y Realidad* pone al descubierto quiénes son, de dónde vienen y qué es lo que quieren. Este libro cambiará la manera como hemos entendido todo lo que nos han contado. Tenemos derecho a saber sobre la enorme influencia que los extraterrestres han ejercido sobre la Biblia, el gobierno y nuestra vida diaria. OVNIS, Conciencia, Energía y Realidad es una disertación lúcida sobre el tiempo lineal, la objetividad, la mente interdimensional, la superconciencia y la transfiguración de la materia. Y a pesar de lo que podamos pensar, este es un libro acerca de la esperanza, el amor y Dios.

RAMTHA: Independencia Financiera

Independencia Financiera proporciona al lector un nuevo entendimiento de lo que son el dinero y el oro y le dice cómo utilizar ese conocimiento para lograr independencia en el mundo de hoy.

Este libro también muestra que los que manejan el mundo lo hacen por medio del dinero y fomentan un clima que oprime al hombre hasta un estado servil de dependencia y necesidad, mientras que los poderosos continúan acumulando el dinero.

RAMTHA: Enseñanzas Selectas

Verdadero tesoro acerca de la maestría personal, este célebre libro plantea un reto al espíritu y abre al lector a una visión de las magníficas posibilidades de la vida. Una atractiva colección de enseñanzas que gustará de igual manera a quienes están familiarizados con este material, así como a quienes éste es su primer contacto con Ramtha.

«Yo he venido a exaltar la divinidad que hay dentro de ti y dentro de todos los seres. Porque, en estado de inocencia, os habéis convertido en esclavos de las ilusiones y limitaciones del plano material, que es vuestra realidad. La ironía es que, puesto que sois Dios, poseéis un poder infinito que a cada momento crea las ilusiones y las limitaciones. Cuando os percatéis de que habéis creado las limitaciones por medio de vuestro propio poder y virtud, os daréis cuenta de que la ley también funciona de la misma manera en la dirección opuesta, o sea, que poseéis dentro de vosotros el poder para producir lo ilimitado.»

RAMTHA: El Último Vals De Los Tiranos

El Último Vals de los Tiranos revela las extraordinarias oportunidades y los desafíos a los que se enfrenta la humanidad en los días por venir. Este libro pone al descubierto la historia y proyectos de los Hombres Grises, las familias secretas y los poderosos banqueros que manipulan la Bolsa de Valores, son dueños de la Reserva Federal y controlan casi todo el dinero del mundo.

El libro también examina el curso que se ha trazado la Naturaleza, con la vida aparentemente al borde de la destrucción. No obstante, el interés fundamental del autor es brindar conocimiento al lector. Un conocimiento que, a la luz de estas predicciones, abre nuestras mentes y nos permite tomar las decisiones para un futuro que está a la vuelta de la esquina.

Esta obra es fundamental para entender cuál es la situación del medio ambiente, la política y la economía. Es un grito por el cambio, un llamado a la soberanía personal.

RAMTHA: Las Antiguas Escuelas De Sabiduría

En *Las Antiguas Escuelas de Sabiduría*, Ramtha expone el preludio y la introducción a la formación de su Escuela de Iluminación. Nos cuenta la historia de cómo funcionaban las antiguas escuelas en tiempos pretéritos y cuál era el propósito de su instrucción tan preciada: despertar al Dios interior que está olvidado. Ramtha explica cómo y por qué las escuelas fueron destruidas, así como todos los que asistían a ellas. Nos muestra por qué él ha tomado como base la sabiduría antigua para enseñarnos lo que sabe.

Ha llegado la hora de restablecer la sabiduría antigua para que ya no permanezca escondida y reservada para un grupo selecto, sino que esté abierta a todo aquel que tenga el deseo de saber. Las perlas de sabiduría contenidas en esta magnífica obra iluminarán e inspirarán al lector hacia un nivel de entendimiento elevado que sentará las bases desde las cuales se accederá a niveles de realidad todavía no experimentados.

RAMTHA: Guía Del Iniciado Para Crear La Realidad

En 1988, después de diez años de canalizar a través de JZ Knight, Ramtha estableció su Escuela de Iluminación. Allí, los estudiantes —alrededor de tres mil provenientes de todo el mundo— reciben de Ramtha un conocimiento que les ayuda a cambiar sus vidas, y practican disciplinas que les permiten experimentar lo que han aprendido.

Guía del Iniciado para crear la Realidad, resume las enseñanzas básicas que reciben los estudiantes en su primer encuentro con Ramtha. Éstas incluyen: nuestros orígenes en el Vacío, la conciencia y la energía como método para crear la realidad, la relación entre cerebro y mente, el campo áurico y la mecánica cuántica, y el Kundalini y los siete sellos como el camino de regreso a casa, entre muchas otras.

«Estás aquí para crecer; estás aquí para crear la realidad, no para mantener el statu quo. Estás aquí para crecer en conocimiento, filosofía y luego en la verdad. Estás aquí para vivir, no para tenerle miedo a la vida. Estás aquí para utilizar tu cerebro en la creación de pensamientos y en la conquista de la ignorancia.»

El Regreso De Inanna, de V.S. Ferguson

El Regreso de Inanna fue escrito en seis meses por medio de «transcripción automática». Usando la memoria de vidas pasadas de V.S. Ferguson, Inanna revela cómo ella y los otros «dioses» se han insertado a través del tiempo en sus seres multidimensionales en carne y hueso como nosotros, para activar nuestro ADN latente y liberar a la especie humana.

«Yo, Inanna, regreso para contar cómo, hace 500 000 años, mi familia de las Pléyades tomó posesión de la Tierra y alteró los genes humanos con el fin de producir una raza de trabajadores creada para extraer oro destinado a la agotada atmósfera de Nibiru, nuestro planeta y hogar. Como éramos técnicamente muy superiores, esta raza de trabajadores —la especie humana— nos adoraba como a dioses. Nos aprovechamos de ellos para librar guerras en medio de nuestras disputas familiares interminables hasta que, de un modo estúpido, desatamos sobre la Tierra la terrible arma gandiva, que envió una onda de radiación destructiva por toda la galaxia...»

Las Nueve Caras De Cristo, de Eugene E. Whitworth

Este libro trata de la religión secreta y verdadera que hay detrás de todas las religiones, así como de la preparación e iniciación del candidato en los estudios metafísicos secretos y sagrados: desde los misterios de los Magos hasta el antiguo adiestramiento egipcio para el Dios-Rey.

Aquí se revelan verdades iniciáticas como las que el gran filósofo griego Platón no se atrevió a enseñar porque estaba bajo juramento de no hacerlo. El libro trata de la búsqueda incansable e inteligente de la religión verdadera, habla sobre la revelación de la verdad religiosa que estuvo tanto tiempo tan escondida que alguien arriesgó la vida misma por encontrarla.

Las Nueve Caras de Cristo es la narración de José-ben-José, un Mesías crucificado 57 años a.C. Expone los métodos y técnicas para desarrollar la divinidad interior o iniciada.

RAMTHA

¿QUIÉNES SOMOS?

¿Por qué negarías que posiblemente eres un Espíritu en tránsito, que posiblemente seas más que tu cuerpo, que posiblemente seas más que aquello por lo que has trabajado toda tu vida? ¿Y por qué querrías negar eso? ¿Por qué no querrías ni siquiera considerarlo? Bien, negar que Dios vive dentro de ti es negar aquello que se denomina tu habilidad para conseguir conocimiento ilimitado, tu habilidad para conseguir amor ilimitado, tu habilidad para conseguir poder ilimitado, tu habilidad para conseguir lo que se llamaba en tiempos antiguos el reino de los cielos.

CONCIENCIA, ENERGIA Y REALIDAD

OVNIS

Cambiará la manera como has entendido todo lo que te han contado. Tienes derecho a saber sobre la enorme influencia que ha tenido la intervención extraterrestre en nuestra historia. Se trata de una
disertación lúcida sobre el tiempo lineal, la objetividad, la mente
interdimensional, la superconciencia y la transfiguración de la
materia. Pero sobre todo, es un libro acerca de la esperanza, el amor
y Dios.